미국 트럭커의 모든 것

CDL A(1종 특수)따기에서 초보 트럭커 탈출까지

미국 트럭커의 모든 것

발 행 | 2024년 01월 08일
저 자 | 정태문
펴낸이 | 한건희
펴낸곳 | 주식회사 부크크
출판사등록 | 2014.07.15(제 2014-16 호)
주 소 | 서울특별시 금천구 가산디지털 1 로 119 SK 트윈타워 A 동 305 호
전 화 | 1670-8316
이메일 | info@bookk.co.kr

ISBN | 979-11-410-6525-6

미국 트럭커의 모든 것

정태문 지음

목차

들어가며

나오며

홍순애, 정병성, 장춘자, 이종원
양가 부모님께 감사드리며

들어가면서

What do you do for a living? I am a trucker!!

생계를 위해 뭘 하세요? 네, 저는 트럭커입니다.

저는 11년차 미국 트럭커입니다. 2014년 Werner enterprise 에서 트럭커의 첫발을 내딛었습니다. 대략 6개월 후 JB hunt 라는 회사로 옮겨 4년 반 정도 일했죠!! 그리고 현재 Old Dominion 으로 이직해 6년째 일하고 있습니다. 10년전 미국에서 트럭일을 처음 시작할 때 마땅한 정보가 없어 힘들었죠!! 과부사정은 과부가 안다고!! 3년전 유튜버 활동을 시작하면서 트럭커에 도전하시는 분들을 위해 "미국 트럭커의 모든 것" 이라는 코너를 연재하게 되었습니다. 어쩌다 미국 트럭커에 관심있는 사람들을 상담아닌 상담을 하게 되었죠!! 그러면서 책이 있으면 좋겠다는 생각을 하였고, 영상으로 만들었던 정보들을 중심으로 이책을 만들게 되었습니다.

이 책은 3부로 구성될 것입니다. 1부는 서론부분으로 미국 트럭커를 간단히 소개하는 부분으로, 미국 트럭커의 전망, 왜 미국 트럭커인가?, 미국 트럭커의 수입, 그리고 미국 트럭커의 종류를 살펴볼 것입니다.

2부에서는 보다 구체적으로 CDL A(상업용 1종 대형면허)를 어떻게 따고, 어떻게 취업하는지에 대해 살펴볼 것입니다. 학원을 선택하는 것에서 부터 경력직으로 옮길 때 고려해야 할 문제까지 각 단계별로 알아볼 것입니다.

3부에서는 초보트럭커가 실무에서 살아남기 위해 알아야 할 사항들을 점검해 볼 것입니다. 훈련소를 마치고 실무에 배치되는 이등병처럼 실무에 잘 적응하기 위해 알아야 할 실무지식를 다양한 측면에서 살펴볼 것인데, 예를 들어 안전하게 운전하는 법, Log 관리문제, Paper work 하는 방법, Trucking English 문제, Benefit 에 대한 이해, 고장났을 때 처리하는 방법 등 다양한 문제들을 해부해 보도록 하겠습니다.

이 책을 잘 이해하기 위해 5가지 사항을 일러두고자 합니다. 첫째, 이 책은 기본적으로 Company driver(회사소속 운전자)을 중심으로 미국트럭커 살펴볼 것임으로 Owner operator(개인사업 운전자)에 대해서는 논외로 했음을 알려드립니다.

둘째, 기본적으로 저의 경험은 뉴저지주와 몇몇 회사에 제한되어 있습니다. 그렇지만 이책에서 언급하는 정보의 정확도는 대략 90점 정도는 된다고 생각합니다. 왜냐하면 비록 주(State)와 트럭회사들의 시스템이 조금씩 다르지만 기본뼈대는 대동소이하기 때문입니다. 그러므로 보다 디테일하고, 정확한 정보를 위해서는 본인의 상황과 입장에서 직접 더블 체크를 하는 것이 좋겠습니다.

셋째, 이 책을 이해하는데 가장 좋은 방법은 처음부터 끝까지 순서대로 읽는 것입니다. 그렇지만 각 부와 항목들을을 독립적으로 읽어도 아무런 상관이 없습니다. 따라서 각자의 상황과 관심에 따라 원하는 부와 장을 먼저 봐도 괜찮습니다.

넷째, 이 책은 기본적으로 미국 트럭커가 되려는 분을 염두에 두고 쓰여졌습니다. 그러므로 영어가 다소 불편하더라도 익숙해져야 하니 영어를 병기하거나 그냥 쓰도록 하겠습니다. 그렇지만 최소한 한번은 그 뜻을 알려드리도록 하겠습니다.

다섯째, 어떤 내용들은 문자로 설명하는 것보다 영상을 보는 것이 훨씬 도움이 될 수 있습니다. 그래서 어떤 주제에 대한 상세한 내용은 제가 운영하는 유튜브 채널 "아마추어철학자"를 참조해 주시면 좋겠습니다. 그리고 구체적인 질문이 있다면 댓글을 남기시거나 제 E-mail(jtaemoon@gmail.com)으로 연락주시면 응답하도록 하겠습니다. 한 가지 부탁할 것은 책과 영상의 내용을 충분히 숙지하시고 질문해주시면 감사하겠습니다. 이미 영상이나 책에 있는 기본적인 것에 대해 질문하면 좀 거시기 하더라고요!!

개인적으로 박사과정에 입학 할 네번의 기회가 있었지만 여차저차하여 모두 포기했습니다. 이 책은 생활인으로서 스스로에게 주는 생활인 명예박사학위논문입니다. ㅎㅎ 미국 트럭커를 꿈꾸는 사람이나 관심있는 분들에게 도움이 되었으면 좋겠습니다!!

끝으로 타국에서 가족이란 이름으로 서로의 곁을 내어 주며 된장국으로, 표지로, 편집으로 도움을 준 마눌님 이지영, 딸 주희, 아들 지수에게 고마움과 미안함을 함께 전합니다. 꾸벅

1 부: 미국 트럭커 입문

1 장 왜 미국 트럭커인가?

미국 트럭커는 미국이라는 공간에서 물건을 픽업하거나 배달하는 일에 종사하는 운전자입니다. 생물학적으로 말하면 온 미국땅에 자신의 배설물로 마킹하는 동물이라 볼 수 있죠!! 미국은 넓고 할일이 많습니다!! 그런데 왜 미국 트럭커일까요? 특별한 이유는 없습니다!! 살다보니 그렇게 됐죠!! 해몽을 해보면 제가 생각하는 현실적 이유를 4가지로 정리하면 이렇습니다.

첫번째 이유는 평균수입이 나쁘지 않다고 생각하기 때문입니다. 수입은 직업을 선택할 때 가장 중요한 요소중에 하나일 것입니다. 개인적으로 회사에 소속된 미국 트럭커의 평균 수입을 대략 $85,00.00 정도로 생각하는데요!! 2가지 통계 자료들을 비교검토해서 미국 트럭커의 연봉수준을 가늠해 보겠습니다. 첫째는 미국 직장인의 중간 주급 소득입니다. 미국 노동 통계국의 발표에 의하면, 2022년 3분기 미국의 중간주급소득은 $1070입니다. 대략 52주로 계산하면 년 $55,640 정도가 됩니다. 다시 말해 미국 트럭커의 평균연봉이 미국의 중간소득보다 높다는 것입니다.

Median weekly earnings of the nation's 120.2 million full-time wage and salary workers were $1,070 in the third quarter of 2022 (not seasonally adjusted), the U.S. The

Bureau of Labor Statistics reported today.(
https://www.bls.gov/news.release/pdf/wkyeng.pdf)

두번째는 고졸 평균연봉인데요!! 개인적으로 미국트럭커의 일은 고졸수준의 일이라고 생각합니다. 그런데 2022년 11월 현재 미국의 고졸평균수입은 $42,736 입니다. 그러므로 미국 트럭커의 평균연봉이 미국 고졸연봉을 넘어, 거의 두배 정도가 된다는 것을 알 수 있습니다. 거칠게 매듭 지으면 미국 트럭커의 연봉이 나쁘지는 않다는 것입니다

As of Nov 18, 2022, the average annual pay for the High School Diploma jobs category in the United States is $42,736 a year.(ziprecruiter)

두번째 이유는 영어가 그렇게 유창하지 않아도 트럭커가 될 수 있다는 것입니다. 미국살이에서 영어는 필수이고, 이민자에겐 영원한 숙제이고 스트레스입니다. 그런데 미국 트럭커의 일은 영어가 사무직처럼 유창하지 않아도 가능하다는 것이죠!! 잘하면 더 좋지만 대충해도 미국 트럭커가 될 수 있다는 말입니다. 왜냐하면 트럭커의 일은 3D의 한 직업군이라 할 수 있고, 미국의 젊은이들이 점점 기피하고 있고, 이민자 출신으로 채워지고 있기 때문입니다. 대부분의 트럭회사들은 이민자들이 영어에 서툴다는 사실을 잘 알고 있습니다. 그래서 기본적인 의사소통에 문제 없으면 크게 문제 삼지 않는다고

보면 됩니다. 어느정도의 영어 실력을 요구하는지 좀 애매하지만 자신감을 가지고 도전하는 것이 중요하다고 생각합니다. 보다 구체적인 것은 Trucking English 편에서 살펴보도록 하겠습니다.

세번째 이유는 다른 기술이나 직업군보다 진입장벽이 높지 않다고 생각합니다. 일반직종의 기술을 익히기 위해서는 직업학교를 다녀야하고, 어떤 기술을 배우는데 많은 시간을 투자해야 한다고 볼 수 있습니다. 그런데 대형트럭 운전기술을 배우는 일은 빠르면 1-3개월안에 CDL A(상업용 대형면허) 딸 수 있고, 취업도 수월하게 할 수 있습니다. 1년 정도 조심해서 운전해서 운전하는 일이 몸이 익으면 그렇게 위험한 일만은 아닙니다. 저도 10년정도 일하고 있지만 현재까지 별다른 사고없이 운전하고 있습니다. 그래서 트럭일이 위험하다는 심리적 장벽도 낮추는 일도 필요하다고 생각합니다.

네번째 이유는 트럭커라는 직업은 연령제한이 없다는 것입니다. 일반적으로 말해 미국은 한국보다 연령제한이 없는 것 같습니다. 그래도 나름대로 일정한 선이 있죠!! 그런데 트럭커는 신체검사에서 탈락하지 않는 한 일을 계속할 수 있습니다. 물론 70 이상을 넘으면 신체검사를 더 자주 해야 합니다. 어쨌든 결론은 몸을 잘 관리해서 건강하다면 연령에는 아무런 제약이 없다는 것입니다.

2장 미국 트럭커의 전망은?

미국에서 트럭커는 대략 350만명정도 미국인구의 1% 정도의 비율을 차지하고, 물류회사종사자를 대략 2%수준으로 700만명정도가 된다고 합니다. 장난아니죠!! 미국 물류수송에서 트럭이 차지하는 비율은 대략 72%정도 된다고 합니다. 트럭커는 미국전역에 고속도로라는 혈관을 통해 물류라는 산소를 공급하는 사람들입니다. 그러므로 필수적인 직업군이라 할 수 있죠!!

몇 십년전에 미국트럭커가 한 참 인기가 있을 때 한 때는 의사를 그만두고 트럭커가 되었다는 말이 있을 정도였다지요!! 그 만큼 돈벌이 좋았던 시절이 있었다는 뜻이죠!! 수요와 공급의 원칙에서 보면 현재는 기본적으로 트럭커의 수요에 비해 공급이 부족한 실정인 것 같습니다. ATA(미국 교통 협회)에 의하면 대략 10만명이 매년 부족하고 앞으로 공급부족이 심화될 것이라고 말합니다. 그 이유는 3가지로 살펴보면, 첫째는 고령화인데요!! 트럭커가 점차 고령화되어 퇴직을 하는 트럭커에 비해 새롭게 트럭커가 되는 신입트럭커가 부족하다는 것입니다. 그러니 자연스럽게 트럭커가 부족하게 된다는 거죠!!

둘째는 Lifestyle 문제입니다. 이 문제는 특별히 장거리 트럭커가 더 많이 부족한 상황을 잘 설명해줍니다. 다시 말해 집밖에서 오랜시간 보내야 하는 장거리 트럭커의 lifestyle를 싫어한다는 것이겠죠!! 요즘 젊은 사람들이 기성세대보다 더 자신의 lifestyle에 더 민감해서 트럭커가 되려는 것을 꺼려한다고 말할 수 있겠죠!!

셋째는 행정적인 절차와 관련이 있는데요!! 예를 들어, Drug test 그리고 Driving record 등의 행정적 절차가 엄격해서 새롭게 트럭커가 되려는 사람들의 진입을 방해하기 때문이라는 것입니다. 이것에 대해서는 개인적으로 찬성하지는 않습니다. 예를 들어, 연방법은 미국전역을 운전하기 위해서는 21세 이상이 되어야 하는데, 트럭커의 부족을 메우기 위해 연령을 내리자는 주장도 있습니다. 글쎄요!! 제 눈에는 21세도 마냥 어려보입니다. 운전은 기본적으로 위험한 직업이라 할 수 있습니다. 왜냐하면 한순간의 부주의로 본인 뿐 아니라 타인의 생명을 해질 수 있기 때문입니다. 그러므로 연령을 낮추어 신입트럭커를 늘이자는 생각은 능사가 아니라고 생각합니다.

몇 달전에 한국뉴스에 미국의 Walmart에서 트럭기사를 구하기 위해 연봉을 대폭인상해 연봉이 1억이 훨씬 넘는다는 뉴스를 내 보낸 적이 있습니다. 100% 동의하기는 힘들지만 대략 비슷한 상황이라 말 할 수 있습니다. 전체적으로 볼 때 수요에 비해 공급이 부족한 편이라 CDL A 라이센스를 따면 취업에 별 어려움이 없을 것 같습니다. 한편으로 자율주행기술로 무인트럭시대가 도래하고 많은 트럭커들이 일자리를 잃게 될 것이라고 걱정하는 사람들도 있습니다. 저는 개인적으로 자율주행기술의 발전을 인정하지만, 완전한 무인자율주행은 반세기안에는 어려울 것이고 생각합니다. 따라서 당분간은 자율주행기술은 무인이 아니라 트럭커의 안전과 편의를 위해서 존재하게 될 것이라고 생각합니다.

3 장 미국 트럭커의 종류는?

미국 트럭커의 종류는 어떤 기준에 따라 구분하느냐에 따라 다양합니다. 모든 형태를 소개하는 것은 거시기한데요!! 개인적으로 미국 트럭커의 종류를 크게 4 가지로 나누어 소개하면 이렇습니다.

첫번째는 소속형태에 따른 구분인데요!! Company driver 와 Owner operator 로 나눌 수 있습니다. Company driver(캄파니 드라이버)는 일반 트럭킹 회사에 소속되어 회사트럭을 운전하고, W2(세금을 위한 임금 명세서)를 받는 회사운전자를 말합니다. 캄파니 드라이버는 대략 미국 트럭커의 90%를 점유하고 있습니다. Owner operator 는 본인소유의 트럭을 운전하는 개인사업자 운전자로 1099(개인사업자를 위한 임금명세서)를 받습니다. Owner operator 는 종종 Independent conTractor(독립 계약자)라고도 불리는데요!! 미국 트럭커중 대략 10%정도를 차지하고 있다고 보면 됩니다.

두번째는 장거리와 단거리, 다시 말해 운전지역에 따른 구분으로 OTR(Over the road) driver(장거리 운전자), Regional driver(권역별 운전자), Local driver(출퇴근 운전자)로 나눌 수 있습니다. OTR 은 대표적인 장거리 운전자로 미국전역을 무대로 활동하는 운전자인데요!! 주로 CPM(마일당: Cent per mile)으로 임금을 받는데 운전자가 달린 거리만큼 임금을 받습니다. Regional driver는 권역별 운전자로, 예를 들어, 미북동부지역을 돌면서 운전하는 운전자, 한국식으로 말하면, 경남권을 돌면서 일을 하는 트럭커로 이해하면 되겠습니다. 주로 CPM으로 임금을 받고, 일을 하는 방식은 OTR과 별 차이가 없습니다. Local driver는 기본적으로 OTR과 Regional driver와 달리 매일 출퇴근하는 트럭커라 생각하면 됩니다. 하루안에 일을 마치고 회사 터미널로 돌아올 수 지역에서 일하는 트럭커라 볼 수 있습니다. 저는 지금 출퇴근을 하는 로칼 트럭커로 일을 하고 있습니다.

세번째는 언제 주로 일을 하느냐에 따라 P&D driver과 Linehaul driver으로 나눌 수 있습니다. P&D driver과 Linehaul driver는 LTL회사 소속된 트럭커을 지칭하는 용어인데요!! P&D driver는 Pick and Delivery의 약자인데요!! 주로 LTL에서 낮시간에 일을 시작해서 시내(할당된 지역)를 돌며, 딜리버리하고, 픽업을 해서 Terminal로 물건을 가져오는 Driver입니다. 주로 시간당 임금을 받습니다. 현재 제가 하고 있는 일입니다.

Linehaul driver는 주로 밤에 P & D driver가 픽업한 물건들을 다른 주로 이동시키는 일을 하는 운전자들입니다. 주로 저녁 10시 전후에 시작해서 아침까지 일을 합니다. 주로 CPM 마일당으로 임금을 받는데, 일반적으로 말해 P&D driver보다 조금 더 번다고 할 수 있습니다.

네번째는 어떤 트레일러를 사용하는가에 따른 구분이 되겠는데요!! 트레일러의 종류에 따라 Dry van driver, Tank driver,

Flatbed driver, Reefer driver 등으로 나눌 수 있습니다. Dry van driver는 Box driver 라고도 불리는데, 가장 많은 폴션(Portion)을 가지고 있습니다. 가장 흔하게 보는 상자모양의 트레일러를 운전하는 트럭커라고 보시면 됩니다. Tank driver는 Tank 모양의 트레일러에 유류나 우유 같은 액체를 넣어 다니는 트럭커입니다. Flatbed는 중장비(예를 들어 포크레인)같은 것을 실고 다니는 트럭커라고 보면 됩니다. 각각의 트럭커들은 다른 종류의 트레일러를 달고 다니기 때문에 작업방식에는 조금씩 차이가 있습니다.

위와 같이 미국 트럭커를 4가지로 구분한 것은 가장 일반적이며 동시에 제 개인적인 구분이기도 합니다. 4가지 구분 외에도 Team driver(2인 1조로 한 트럭을 교대로 운전하는 트럭커), Port driver(배에서 내린 컨테이너를 운반하는 트럭커)라든지 Combination driver(이것 저것 하는 트럭커), Dedicated driver(한 곳만, 한 회사만 담당해서 운전하는 트럭커) 등 다양한 틈새 드라이버가 존재하고, 여러가지로 구분할 수 있습니다. CDL A를 따기 전에 본인의 상황을 고려하여 어떤 종류의 트럭커가 되고 싶은지 혹은 좋을지 미리 생각해 두는 것도 좋을 것 같습니다.

4 장 미국 트럭커의 수입은?

직업을 결정할 때 가장 중요한 요소 중 하나는 단연 수입일 것입니다. 미국은 주마다 미니엄 웨이지(Minimum Wage: 최저 임금)가 다릅니다. 그리고 당연한 말이지만 회사마다 개인마다 임금수준에 상당한 차이가 있습니다. 어쨌든 미국 트럭커의 수입을 보다 잘 이해하기 위해 3가지 질문을 던지고 대답해 보도록 하겠습니다. 첫째, 미국 트럭커는 평균 어느정도 수입을 버는가? 둘째, 그런 수입을 어떻게 버는가? 셋째는 어떤 트럭커가 더 많이 버는가? 입니다.

먼저, 미국 트럭커는 얼마나 버는가? 각 개인의 수입의 Range가 넓습니다. 어떤 트럭커는 연봉이 $50000-60000 만불이지만 어떤 트럭커는 $110,000-$120,000도 벌죠!! 개인차가 좀 큽니다. 결론적으로 저는 Company driver의 평균연봉이 $85,000 정도로 생각합니다. 제가 이런 결론에 도달하게 된 대표적인 이유를 몇 가지로 나누면 먼저 제 개인적인 경험이 있고, 두번째는 Indeed.com과 같은 Job site에서 볼 수 있는 임금수준이고, 세번째는 Major Company(대형회사) 예를 들어, JB hunt, Swift, Schneider 등의 CPM을 참조해서 라고 말할 수 있습니다.

그런데 여기에 약간 주의 필요한데요!! 어떤 회사는 그 회사의 임금정보를 잘 알려주지 않거나, 자기 회사의 Top pay(가장 많이 받는 운전자의 임금수준)만을 소개한다는 거죠!! 다시 말해서 현실적으로 잘 알 수도 없고, 회사가 말한 임금과 실재와 좀 다를 수도 있다는 사실입니다. 어떤 회사의 실제 수입은 인터넷의 정보 보다 못한 경우도 있고, 그 반대의 경우도 존재합니다. 예를 들어, 제가 일했던 JB hunt 의 경우는 다른 트럭커나 회사에서 올린 연봉이 내가 직접 버는 것보다 적었다는 것이죠! 그러므로 각 회사의 연봉수준을 알기 위한 가장 좋은 방법은 현재 그 트럭회사에 근무 중인 트럭커에게 묻고 확인하는 방법입니다. 수입은 사적인 영역일 수 있기 때문에 조심스럽게 묻는 것이 좋겠습니다.

Owner operator 는 Company driver 보다 대략 2배전후로 더 번다고 생각하면 되겠습니다. Owner operator 는 Lease Owner operator, Leased Owner operator, Freelancer Owner operator 의 세종류가 나눌 수 있는데 각각의 수입은 약간 다르다고 할 수 있습니다. 이 책은 Company driver 를 중심으로 쓰고 있기 때문에 보다 구체적인 것은 논외로 하겠습니다.

둘째, 미국 트럭커는 어떻게 버는가? 다시 말해서 미국 트럭커는 어떻게 주급을 산정하고 받는지 살펴보도록 하겠습니다.

개인적으로 미국 트럭커가 주급을 산정하는 방식을 크게 4가지로 나눌 수 있다고 생각하는데요!! CPM, RPH, Load, Combination 입니다.

첫번째는 CPM으로 Cent Per Mile의 약자로 마일당 받는 방법인데요!! 트럭커가 운전한 만큼, 달린 거리만큼 임금을 받는 방법입니다. 주로 장거리 운전자들이 주급으로 받는 방식인데요!! 다른 말로 RPM이라고 하는데 rate per mile이라고도 합니다. 예를 들어, CPM이 0.60이라는 말은 1mile를 운전하는 60cent를 받는다는 말입니다. 한국식으로 환산해서 말하면 1mile은 1.6km가 되고, 60cent는 환율을 1000원으로 계산하면 600원이 되는 거죠!! 그러니까 1.6km를 운전하면 600원을 받는다는 말입니다!! 그럼, 하루에 보통 어느정도의 거리를 운전하게 될까요? 이렇게 함 생각해 보죠!! 달린 거리는 시간과 속도에 정비례 하겠죠!! 장거리 운전자는 하루에 맥시엄으로 11시간 운전할 수 있고, 보통 고속도로 속도는 65MPH(mile per hour)입니다. 그러니, 이론적으로 11시간을 맥시엄으로 65 MPH로 달리면, 715 Miles이 되겠죠!! 그런데, 현실에서 트래픽도 있고, 식사도 해야하고, 기름도 넣어야 하고, 소변도 봐야하고, 기타등등 때문에, 제 경험상 평균 하루 550 miles 정도라고 가정하면 좋을 것 같습니다. 그리고 CPM이 0.60 cent라고 한다면, 하루에 운전자 버는 마일당수입은 550*60=$330 불이 되는 거죠!

　　두번째, RPH(Rate per hour)로 시간당 주급을 방식인데요!! 이 방식은 주로 로칼에서 일하는 운전자들이 주급을 방식인데요!! 굉장히 심플한 방법입니다. 보통 대개 로칼 운전자가 출근을 해서 지문인식기에 체크인을 하고, 일을 마치고 집에 갈 때 지문인식기에 체크아웃을 할 때까지 걸린 시간을 계산하면 되는 거죠!! 그래서 하루

수익을 계산하는 방법은 자신의 시급에 하루 일한 것을 곱하면 되겠죠!! 예를 들어, 시급 즉 RPH가 $30불이고, 11시간을 일했다고 한다면 $30*11=330불이 되는 거죠!!

시간당 주급을 받는 운전자는 트래픽에 걸려도 큰 스트레스가 없겠죠!! 도로에서 양보를 잘하는 트럭커들은 시간당 주급을 받는 사람이라 보시면 됩니다. 개인적으로 제가 Local 즉 현재 회사로 옮긴 이유도 심플한 주급방식 때문이었습니다. 이전 Jb hunt에서 있을 때, CPM과 Detention time 등이 누락 혹은 잘못되어서, 거의 매주 주급 때문에 스트레스를 받았기 때문입니다.

세번째는 Load 건당인데요! Load 하나 픽업해서 딜리버리를 하면 얼마를 받는다는 방식입니다. 주로 Owner operator들이 주급을 받는 방식입니다. 예를 들어, 어떤 load를 픽업해서 딜리버리를 하면 적게는 몇 백불에서 몇 천불까지 받게 되는 거죠!! 뭐 이런 식이죠!! 물론 당연히 회사에서 건당 얼마를 줄 때는, 거리와 시간 등을 고려해서 건당가격을 산출하겠죠!! 그래서 거리가 먼 Load는 하루에 한 건 혹은 두 건, 짧은 것은 3-4건을 할 수도 있겠죠!! 그래서 장거리일 경우, 한 건에 몇 천불에서 몇 만불까지도 가능할 수 있습니다.

네번째, Combination(여러개 섞음)으로 복합적 방식인데, 예를 들면, 특정회사에서 주로 중소기업에서 기본급에 얼마를 더해 주는 방식이라 보면 되겠습니다!! 이것은 한마디로 1,2,3 방식을 믹스한 형태인데요!! 방식도 다양합니다. 예를 들면, 미니엄 고정페이를 지불하고, 오버하면 돈을 주는 방식도 있고, 예를 들어, 주급을 $1200 를 기본적으로 보장하고, 일이 없어도 그것을 주고, 일이 더 많이하면 그 만큼 보상하는 것이죠!! 그리고 어떤 곳에 물건을 내리면 Stop fee 라 그래서 $50 불을 준다던지 이렇게 혼합된 방식으로 주급을 산정하는 것을 말합니다.

결론적으로 말하면 위에서 말한 네가지 기본임금에 위험수당, 안전수당, 유급휴가비,보너스 등을 더해서 주급, 임금을 받게 되는 거죠!! 위험수당, 위험물로 분류된 물건을 운반할 때 받는 수당인데, 당연히 Hazmat endorsement 을 가진 운전자만 받을 수 있는 수당이 되겠고, 안전수당은 safe bonus 개념으로 사고없이 운전하면 받을 수 있는 수당이죠!! 여기에 유급휴가비(PTO: Paid Time Off), 특별 보너스 등이 추가되어 주급이 책정되게 되는 것입니다.

셋째, 어떤 트럭커가 더 많이 버는가? 운전를 하는 측면에서 똑같은 트럭커이지만, 화물을 다루는 일에 있어서는 좀 다릅니다. 그것에 따라 각각의 트럭커의 수입에 차이가 발생하게 됩니다. 미국 트럭커중에 누가 더 버는가를 살펴보기 위해, 트럭커의 종류를 5 가지로 나누고, 양자 대결구도로 함 살펴보고자 하는데요!! 먼저, 장거리(OTR)vs 단거리(Local), Van driver vs The other driver, Team driver vs Single driver, Linehaul vs P&D driver, Company vs Owner operator 이런 순으로 알아보겠습니다!!

먼저, 장거리와 단거리중 누가 더 버는가를 살펴보면, 확실히 누가 많이 번다고 말하기 좀 어려운데요!! 왜냐하면 기본적으로 임금을 받는 방식도 다르고, 일을 하는 시간도 좀 달라서 비교하기가 쉽지 않기 때문입니다.

장거리는 기본적으로 CPM(cent per mile)으로 임금을 받지만, 단거리로 대개 RPH(rate per hour) 시간당 임금을 받습니다. 그리고 일하는 시간도 다른데, 제 경험에 의하면 장거리가 보통 하루 13 hour 전후로 일하고, 단거리는 보통 10-11 시간 정도 일하는 것 같습니다. 그래서 단순하게 누가 많이 버는가? 라고 말하기 어렵다는 것입니다. 그런데 시간당으로 환산하면, 시간당 누가 많이 버는가?는 말 할 수 있는데, 결론적으로 먼저 말씀드리면, 단거리가 시간당 받는 것은 많은 것 같습니다. 예를 들어 설명하면요!! CPM 55 인 장거리 트럭커가 10hour 운전해서 대략 600mile, Detention time 이 한시간에 $20 불인데 2 시간을 Detention time 으로 상하차 대기시간 2 시간 사용했다면 이 장거리 트럭커의 하루 수익은

600*0.55($330)+$20*2($40)=$370 인데, 총 12 시간을 일해서 번거죠!!

그런데 단거리 트럭커가 시급 $30 를 받는데, 하루 11 시간을 일하면, 10 시간을 경과하면 Overtime 으로 1.5 배를 받는다고 가정하면, $300+$45=$345 이 되는 거죠!!

위의 가정은 제 경험을 비추어 예를 들어 말씀드린 것인데요!! 어쨌던 일반적으로 말해서 시간당으로 환산하면 단거리가 장거리보다 많이 번다고 할 수 있고, 총 수입으로 보면 비슷하거나 장거리가 많이 번다고 할 수 있습니다. 왜냐하면 일반적으로 장거리가 단거리보다 일을 많이 하기 때문입니다.

두번째로 Dry van 을 운전하는 트럭커와 그 밖의 다른 트럭커 예를 들면, Flat bed, Reefer, Tank 트럭커를 비교하면 누가 더 많이 벌가요? 네, 제가 아는 범위에는 기본적으로 다른 트럭커들이 많이 버는 것 같습니다!! 그 이유는 비교적 단순한데요!! 운전하는 것 외에 일을 좀 더 하고, 신경 쓸 것이 더 많기 때문입니다. 그래서 Dry van 보다 다른 트럭커보다 조금 더 번다고 생각하면 될 것 같습니다. 예를 들어, Flatbed 트럭커는 화물을 스스로 묶어야 하기(secure)해야 하고, 책임을 져야하죠!! 당연히 따로 교육도 받아야 합니다. 때론, Tarp(천막)도 쳐야하고요!! 그래서 이런 일들을 트럭커가 스스로 해야 하니 당연히 돈을 좀 더 받게 되는 거죠!

Reefer 냉장트레일러를 운전하는 트럭커는 reefer 의 온도를 잘 유지하도록 관리해야겠죠!! 기름도 넣어야 하고, 온도도 체크해야하고, 냉동차 소음에 노출되어야 하고!! 트럭스탑에서 쉴때

Reefer Trailer가 옆에 있으면 냉동차 소음 때문에 괴롭습니다. 다른 곳에 여유가 있으면 도망가서 옮기기도하죠!! ㅎㅎ Tank를 운전하는 트럭커도 마찬가지죠!! Tank 속 물질 액체가 출렁이기 때문에 더 조심해야하고, 액체을 실고 내릴 때 호수를 연결하고 제거하는 것에 신경을 많이 써야겠죠!! 이런 이유로 해서 일반적을 말해서 Dry van 트럭커보다 다른 형태의 트럭커들이 좀 더 번다고 말 할 수 있겠습니다! 당연히 좀 더 버는 것에 대한 댓가 즉 수고를 지불해야겠죠!! 여러분이라면 어떤 일을 선택하시겠습니까?

세번째는 Single 트럭커와 Team 트럭커중에 누가 더 버는가? 결론적으로 Team driver가 많이 버는 것 같습니다!! 보통 장거리에서 Team으로 일을 하면 Single로 일하는 것보다 CPM이 높습니다. 왜냐하면 회사입장에서 짧은 시간에 더 많은 이익을 창출할 수 있기 때문이죠!!

예를 들어, 같은 회사에서 Single로 일하는 트럭커의 CPM이 55 cent 라면 Team driver의 CPM 0.70 이런 식으로 높게 책정된다는 것이죠!

일반적으로 말해 Team 트럭커들이 Single 보다 돈을 좀 더 버는 것은 사실이지만 Team 트럭커들이 일하는 모습을 생각하면 "글쎄요" 입니다! 개인적으로 할 생각이 일도 없습니다! 저도 트럭일을 시작할 때 Trainer 와 둘이서 한 트럭에서 Team 으로 일해보았는데, 정말 안 좋은 기억이죠!! 한번 생각해 보세요!! 1-2 평 공간에서 성인남자 거의 24 시간을 같이 지낸다!! 무슨 동성애자 감옥도 아니고!!

첫째 개인 사생활 정말 꽝이죠!! 그리고 잠자는 문제, Team 으로 돌면 거의 24 시간 트럭이 움직인다고 보면 되는데, 어떤 사람이 운전하면 어떤 사람은 그 시간에 자야하죠!! 물론 습관이 되면 좀 나아지겠지만 처음에 이거 환장합니다.

그리고 당연히 어떤 사람은 야간, 혹은 새벽에 운전을 해야하고, 어떤 사람은 낮에 잠을 청해야 합니다!! 그리고 먹고, 씻고 등 시간 맞추기도 힘들고요!! 여러분이 트럭커가 된다면 어떤 선택을 하시겠습니까?

네번째는 P&D driver 와 Linehaul driver 중에 누가 더 많이 버는가? 인데요!! 이것은 현재 제가 P&D driver 로 일하고 있기 때문에 보다 구체적인 정보를 드릴 수 있는데요!! 결론적으로 일반적으로 말해 Linehaul driver 가 많이 법니다.

P&D driver 와 Linehaul driver 는 Local 에서 출퇴근하며 일하는 트럭커입니다. P&D driver 는 주로 낮에 물건을 배달하고, 픽업을 합니다. P&D driver 가 픽업한 물건을 터미널에 가져 오면 Dock worker(웨얼하우스에서 일하는 사람)들이 지역별로 재분류해서

Trailer에 실어놓습니다. 이 Trailer를 주로 밤에 가지고 인근 주로 이동시키고, 돌아올 때 자신의 터미널로 가는 Trailer를 픽업해서 돌아오면서 일을 하는 트럭커가 Linehaul driver입니다. 대략적으로 말해, 저의 old dominion를 기준으로 말하면, P&D driver는 $90000 전후이고, Linehaul driver는 105000 전후가 된다고 말할 수 있는데요!! 대략 Linehaul driver가 $15000 정도 더 번다고 보면 될 것 같습니다.

그래서 어쩌면 이 대결구도는 daytime driver와 night-time driver의 대결구도라고도 볼 수 있죠!! 그리고 이 두 트럭커는 임금을 받는 방식도 다른데요!! P&D driver는 주로 시간당, Linehaul driver은 주로 mile당 임금을 받습니다. Linehaul driver가 더 많이 버는 이유는 제가 생각할 때 두가지인데요!! 첫째, 야간수당이라는 개념이 CPM에 들어가 있는 것 같아요!! 보통 낮에 일하는 장거리 트럭커보다 야간에 일하는 Linehaul driver의 CPM이 높은 것 같습니다. 두번째는 야간에 일하다보니, 교통체증(Traffic)에 걸릴 경우가 없잖아요!! 이것도 한 몫을 한다고 봅니다!! 저는 개인적으로 밤에 일할 생각이 없습니다. 가장 중요한 것이 건강문제겠죠!! 그런데, 올빼미족 에겐 괜찮은 선택이 될 수 있겠죠!! 여러분이 트럭커가 된다면 어떤 선택을 하시겠습니까?

다섯번째는 Company driver와 Owner operator 중에 누가 더 많이 버는가? 기본적으로 말해 Owner operator가 2배 전후로 더 많이 번다고 할 수 있습니다. 위에서 언급한 대로 이 책은 Company driver 를 중심으로 다루기 때문에 보다 구체적인 Owner operator 에 대한 내용은 논외로 하겠습니다.

      미국 트럭커의 수입을 간단히 정리하면, Company driver 로 일하는 미국 트럭커의 평균연봉은 $85000 정도라고 생각하면 될 것 같습니다. 이런 연봉은 4가지 주급산정방법 CPM, RPH, Load, Combination 통해 받게 됩니다. 또한 트럭커는 종류에 따라 일이 좀 다르기 때문에 수입에서도 당연히 차이가 발생한다는 것을 말씀드렸습니다. 쉽게 말해서, 주마다 달라요!! 회사마다 달라요!! Account 마다 달라요!! 트럭커마다 달라요!! 그때 그때 한 만큼 달라요!! Dollar 요!! ㅎㅎ

Rest area#1 후진과 뇌과학

저는 트럭커입니다. 그런데 후진을 잘 못해요!! 정말 헷갈리고, 제 자신을 이해할 수 없습니다. 어떤 이유인지 궁금하시죠!! 제가 뇌과학을 좀 공부하잖아요!! 그래서 제가 후진을 잘못하는 이유를 뇌과학을 통해 살펴보도록 하겠습니다!!

여러분!! 소형 승용차 후진 잘 하시나요? 네, 저도 소형 승용차는 후진을 잘 합니다. 저는 트레일러 기사잖아요!! 그래서 Tractor Trailer 후진도 잘 합니다. 여러분!! 소형 승용차와 Tractor Trailer가 후진 할 때 핸들을 완전히 반대방향으로 움직여야 한다는 사실을 아시는지요? 왜냐하면 Tractor Trailer는 축이 하나 더 추가되어 있기 때문입니다. 그래서 승용차와 정반대로 운전대를 움직여야 합니다. 예를 들어 승용차가 오른쪽으로 후진을 하고 싶다면 운전대를 오른쪽으로 돌리면 되죠!! 그런데 Tractor Trailer는 완전히 반대로 운전대를 왼쪽으로 돌려야 오른쪽으로 후진합니다.!! 그런데 말입니다!! 여러분!! 소형 승용차를 후진하실때 의식적으로 운전하시나요? 다시 말해서, 여러분이 소형 승용차를 운전하실때 의식을 사용해서 후진하지는 않죠!! 물론 초보일때는 의식적으로 합니다. 이것을 뇌과학적으로 말하면 사람이 어떤 운동을 계속하면 그것을 기억하게 됩니다. 흔히들 "근육에 기억을 만든다"고

표현하는데 그것이 아니라 우리의 뇌속에 그 운동과 관련해서 하나의 뇌회로를 만들게 되는 것이죠!! 이렇게 회로에 새겨지면 우리는 의식적 노력없이 무의식적으로 그 운동을 수행할 수 있게 되는 거죠!! 따라서 자연스럽게 에너지도 효율도 좋아지고, 그 운동수행 능력도 올라가게 됩니다. 그래서 여러분은 소형 승용차를 후진할 때 이제 거의 무의식적으로 핸들을 돌려 후진할 수 있게 된 것이죠!! 저도 마찬가지고요! 왜냐하면 저와 여러분은 뇌속에 소형 승용차를 운전하는 뇌회로가 만들어져 있기 때문입니다.

그런데 문제는 이미 뇌회로가 한번 만들어져 자동화가 되면 이제 그것을 의식적으로 접근하거나 바꾸는 일이 쉽지 않다는 것입니다. 그래서, 트럭커들이 특별히 Tractor Trailer를 운전하는 트럭커들이 처음에 Tractor Trailer를 배울 때 앞으로 전진하는 것은 문제가 없지만 후진하는 것은 정말 배우기 어렵다는 것이죠!! 왜내하면 소형 승용차로 후진하는 뇌회로가 이미 형성되어 있기 때문이죠!! 그런데 Tractor Trailer는 완전히 정반대로 운전하잖아요. 그래서 Tractor Trailer로 후진하는 것을 배우는 것이 운전하는 것이 굉장히 어렵습니다. 그렇지만 Tractor Trailer를 장시간 운전연습을 하면, 또 다른 뇌회로가 생기는 것 같습니다. 그래서 Tractor Trailer도 후진을 무의식적으로 잘 할 수 있습니다. 하물며 이제는 의식적으로 하면 어색하고 잘 할 수도 없게 됩니다. 마치 운동선수들이 죽으라 평소에 훈련해서 그 운동뇌회로를 만들고, 시합에서 무의식적으로 운동능력을 발휘하듯이, 운전도 똑같은 과정을 거치게 됩니다.

그런데 말입니다!! 문제가 엉뚱한 곳에서 발생하는데요!! 바로 일반트럭을 몰 때 입니다. 일반트럭 그러니까? Tractor Trailer 말고 보통 트럭있잖아요!! 영어로는 Straight truck 이라고 하는데요!! Tractor Trailer 를 제외한 모든 트럭이라 생각하면 됩니다. 제가 일반트럭을 운전하면 나의 뇌가 이 상황을 어떻게 받아들여야 하는지 혼란스러워 하는 것 같습니다. 그래서 저는 후진을 잘 할 수 없게 되는 거죠!! 우리 회사에서도 가끔 일반트럭(Straight truck)으로 딜리버리를 가는 경우가 있습니다. 개인집이나 공간이 협소한 작은 회사에 딜리버리할 때는 일반 Straight truck 를 이용하는 거죠! 이 때 후진을 잘 못해요!! 참 당황스럽습니다. 그리고 개인적으로 이사할 때 U-haul 트럭을 빌려서 이사를 했는데, 후진을 못하겠더라고요!!

제 생각에 문제는 이렇습니다. 소형 승용차를 후진 할 때 이미 형성된 소형 승용차용 뇌회로를 사용해서 문제가 없습니다. 그리고 Tractor Trailer 를 후진 할 때도 Tractor Trailer 용 뇌회로가 이미 만들어져서 있기 때문에 큰 문제는 없죠!! 그런데!! 문제는 일반트럭을 운전하면 내 의지와 무관하게 나의 뇌는 Tractor Trailer 용 회로를 자동적으로 적용한다는 것입니다. 그것이 바로 문제입니다. 다시 말해서 일반 트럭은 소형 승용차와 똑 같은 방법으로 후진을 해야 하잖아요!! 그런데 나의 뇌는 일반트럭을 Tractor Trailer 와 똑 같은 방법으로 후진하는 것으로 자동인식한다는 것입니다. 정확한 이유는 모르겠지만 나의 뇌는 트럭에 방점을 두고 상황을 인식하는 것 같습니다. 앞에서 말한 것 처럼 나의 뇌가 무의식적으로 그렇게 인식하면 내가 의식적으로 개입하기가 굉장히 어렵다는 것입니다. 정말 집중해서 의식적으로 생각하지 않으면, 자동 조정 장치가 작동하고, 정반대로 후진 하고 있는 나의 모습을 본다는 것이죠!!

어떤 뇌과학자가 이것을 본다면 같이 연구하는 것도 재미있을 것 같네요!! 사람의 뇌가 뇌회로를 만들 때 어떻게 언어를!! 대상을 규정하는가의 문제가 되겠죠!! 아마도 나의 뇌는 일반 트럭이니까? 자동적으로 트럭으로 인식하고, Tractor Trailer 용 후진 뇌회로를 여기에 적용하는 것 같습니다. 거듭 말씀드렸지만, 일단 만들어진 뇌회로가 무의식적 조정장치로 사용되면, 그것을 의식적으로 컨트롤하는 것이 굉장히 어렵게 된다는 것이 문제입니다.!!

여러분!! 가끔 운전을 하시다가 여기까지 내가 어떻게 왔지 하고 의아해 본 적 있으시죠!! 네, 그것이 바로 운전이 무의식 자동조정장치에 의해 수행되었기 때문에, 우리의 의식은 가끔 그것을 의식하고 놀라죠!! 의식인 나는 모르는 일인데, 내가 어떻게 여기까지 왔지!! 네, 의식은 무의식이 하는 것을 잘 알 수 없어요!! 왜냐하면 어떤 경로를 통해서 만들어진 뇌회로가, 습관이, 운동습관 등이 만들어지면 그것은 의식과 무관하게 자체로 조정되기 때문입니다. 뇌가 우리의 의식을 다른 곳에 집중할 수 있게 효율적으로 사용하는 방법인 것이죠!!

예를 들어, 물건을 집어들고, 걷고, 뛰는 행위는 거의 아무 생각없이, 의식적 노력없이 하지만, 사실은 굉장히 어려운 작업이죠!! 사람은 갓난아기부터 이런 것을 수만번 되풀이 하면서 소뇌에 자동조절 장치를 만들어낸 결과인 것이죠!! 그래서 걷고, 뛰면서 다른 것을 생각하고, 다른 일을 수행할 수 있게 되는 거죠!!

그러므로 습관과 생각이 사람을 인생을 좌우한다는 것은 뇌과학적으로 맞는 말인 것 같습니다. 좋은 생각과 좋은 행동을 자주 하면, 우리 뇌속에 회로가 만들어지고, 무의식적으로 수행하게 되죠!! 결과는 당연히 좋게 되겠죠!! 그런데 안 좋은 생각이나 안 좋은 습관 또한 우리 뇌속에 회로를 만들고, 무의식적으로 그것을 수행하려 하겠죠!! 그러면 결과는 당연히 안좋아 지겠죠!! 모든 사람들이 좋은 운전습관회로를 만들어 안전운전했으면 좋겠습니다.

2부: 미국 트럭커 되기

CDL A 따기에서 경력직으로 옮기기 까지

5 장 미국 트럭커의 자격요건과 신청방법

FMCSA 에 의하면, CDL 라이센스를 발급하고, 시험과 매뉴얼책을 주관하는 곳은 주정부입니다. 연방법이 허락하는 범위안에서 주정부는 CDL 관련 일들을 하는데요!! 따라서 주정부에 따라 시험과 매뉴얼 내용, 그리고 진행과정이 좀 다르지만 크게 볼 때 대동소이하다고 말할 수 있습니다. 그래서 자신의 소재지인 주에서 CDL 을 신청하고, 시험을 보고, 합격하면 CDL 를 따게 되는 거죠!! 제가 사는 뉴저지를 중심으로 CDL 를 따기 위한 자격조건과 신청과정을 알아보면 아래와 같습니다.

*자격요건

To get your CDL, you must meet the following qualifications:

- Be a US Citizen or a non-US Citizen with lawful permanent resident status.
- Be at least 18 years old.
- Have a basic; New Jersey driver's license(Class D).
- Have at least 20/40 vision in each eye with or without glasses.

- Be able to recognize red, green, and amber colors.

- Be physically fit.*

NJ MVC(다른 주에서는 DMV 라고도 부른다)에 의하면, 첫번째 자격조건은 신청인이 시민권자 혹은 영주권자여야 한다는 것입니다. 간혹 신분문제에 헤갈리는 분들이 있는데, 취업을 해서 영주권을 받을 수 있는 것이 아니라 영주권이 있어야 취업을 할 수 있다는 말입니다. 영주권을 받는 문제는 별도의 문제로 스스로 알아서 공부하고 취득해야겠죠!!

두번째는 18 세 이상이어야 한다는 것입니다. 그런데 이것은 In-State 즉 주안에서 운전을 할 때이고, 만약 주 밖으로(Out-State) 운전하려면 21 세 이상이 되어야 합니다.

세번째는 Class D(소형일반면허)를 가지고 있어야 한다는 것입니다. 다시 말해, CDL(상업용면허)을 따기 위해서는 먼저 Class D 일반면허를 먼저 따야 한다는 것이죠!!

네번째는 시력이 20/40 vision 한국식으로 0.5를 넘어야한다는 것입니다. 다섯번째는 색명검사를 통과해야 한다는 것이고, 여섯째는 신체검사에 합격해야 한다는 것입니다.

*신청방법

- Study in advance by reading the CDL Manual.

- Get your examination test receipt.

    - Make an appointment for a CDL Permit.

    - Complete the Application for Commercial Driver License

    - Bring your 6 Points of ID, including your social security card, proof of address, and proof of legal presence in the US.

    - Be prepared to pay the $125 commercial examination test receipt fee (non-refundable) by credit card, check, money order, or cash.

- Take your CDL knowledge test.

    - If you are not prepared to take your test at the time you get your Examination Test Receipt, you must make an appointment for the test.

    - EFFECTIVE 2/7/22: If you are applying for a HAZMAT endorsement, you must complete the required Entry-Level Driver Training (ELDT) from a provider listed on FMCSA's Training Provider Registry prior to taking your knowledge test.

- ○ After passing your CDL knowledge test(s), you will be issued your Commercial Learner's Permit (CLP). At this time, you may schedule your skills test.*

- Take your CDL skills test.

  - ○ EFFECTIVE 2/7/22: Prior to taking your skills test for your CDL or any endorsements, you must complete Entry Level Driver Training (ELDT) from a provider listed on FMCSA's Training Provider Registry.

  - ○ You must have an appointment to take your skills test.

  - ○ Unless waived, CLP holders must wait a minimum of 14 days before taking the skills test.

- After passing your skills test, you will be issued your CDL.

첫번째는 CDL 매뉴얼을 공부하는 것인데요!! MVC 에 가면 매뉴얼책을 공짜로 구할 수 있고, 온라인으로 접근할 수 도 있습니다.

두번째는 위와 같은 절차에 신청을 하면 됩니다. 세번째는 필기시험을 치는 것입니다. 네번째는 실기시험을 쳐야 한다는 것입니다. 보다 자세한 것은 9장 필기 & 실기에서 살펴보겠습니다. 또한 미국 트럭커의 자격요건과 신청방법에 대한 보다 자세한 설명은 제 유튜브 영상 미국 트럭커의 모든 것#99편을 참조하시면 좋겠습니다.

6장 미국 트럭커가 되기 위한 타임라인의 이해

CDL A를 따기 위해 학원을 선택하는 것 부터 초보트럭커 딱지를 뗄 때 까지 개괄적인 타임라인을 살펴보면 아래와 같습니다. 저는 개인적으로 운전경력 1년 정도면 초보딱지를 떼고, 진짜 프로패셔널한 트럭커가 될 수 있다고 생각하는데요!! 시작에서 초보탈출까지의 1년 4개월 과정을 타임라인통해 간단하게 살펴보도록 볼텐데요!! 다시 한번 말씀드리지만 뉴저지를 중심으로 내 경험을 위주로 말씀드리니, 각자의 상황에 따라 시간차가 발생할 수 있음을 양해하시길 바랍니다.

단계	예상시간	누적시간
학원선택	시작	0
ELDT	1개월	1개월
필기시험	1개월	2개월
실기시험	1개월	3개월

취업신청 (Application)	1개월	4개월
Orientation	1주	4개월 1주
Training	2주-8주	대략 6개월
트럭배당받기	1주	6개월 1주
경력직으로 옮기기	1개월	7개월 1주
초보트럭커 탈출	9개월	1년 4개월

학원을 선택하고 등록하는 것이 미국 트럭커를 시작하는 첫단추라 보면 되겠습니다. 그리고 추가된 절차 ELDT를 마치고, 열심히 하면 대략 2-3개월 전후로 필기와 실기를 통과하고, 운전면허증을 딸 수 있을 것입니다. CDL A 면허를 딴 후 해야 할 일은 Job application(취업신청)을 넣는 것입니다. 그래서 1달 안에 회사가 결정되면, 일반적으로 Training 기간을 거치게 되는데, 보통 짧게는 2주, 길게는 8주까지 Training을 받게 됩니다. Training을 무사히

마치면, 회사에게 개인에게 트럭을 할당(assignment)합니다. 여기까지 걸리는 시간을 대충 6개월로 잡고, 여기서 금전 문제를 한번 생각해 보아야 합니다.

학원등록비 대략 $5000.00 정도 라고 보면 됩니다. 입사전 3-4개월은 돈을 벌 수 없습니다. Training 기간에는 미니엄 페이만 받게 되는데, 대략 주급이 $800.00 전후 정도 되는 것 같습니다. 그래서 학원비 $5000.00에, 몇 달은 일 없이 혹은 미니엄받고 지내야 하기 때문에 대략 미니엄으로 $10000.00의 여웃돈이 있어야 그 시간들을 견딜 수 있으니 참조하시기 바랍니다.

다시 타임라인으로 돌아와서, Training을 2달했다고 가정해 봅시다. 그리고 트럭을 배당받아서 1달을 혼자 몰고 다니면 이제 경력 3개월 트럭커가 되는 거죠!! 보통 경력직을 뽑는 회사는 3개월 경력직에서 시작합니다. 이제 경력직으로 Transfer(이직)을 할 수 있게 된거죠!! 만약 이직을 원한다면 다시 여러 회사에 Job application를 보내야겠죠!! 아니면 6개월 혹은 1년까지 기다릴 수도 있습니다.

그런데 보통 초보자를 받아 Training를 시켜주는 회사에 잔류하는 것은 제 경험상 별로입니다. 왜냐하면 일반적으로 경력직을 뽑는 회사보다 임금수준과 베네핏이 좋지 않기 때문입니다.

저의 경우를 간단히 말씀드리면, 처음 Werner enterprise 라는 회사에서 2달간 Training을 받았습니다. 거기서 4달을 더 일하고 경력

6 개월 되었을 때 JB hunt 라는 회사로 Transfer 했죠!! JB Hunt 에서 대략 4 년정도일했습니다. 그리고 현재 회사 Old dominion 으로 옮겨 6 년차로 일하고 있습니다. 만약 3 개월 경력직으로 옮겼다면, 이제 9 개월 동안 실무사항을 익히게 되면 초보탈출을 하고 진정한 트럭커가 될 수 있을 것입니다. 경력이 1 년쯤 되면 왠만한 회사의 경력직으로 이직할 수 있습니다. 이직을 할 때는 현재회사와 다른회사의 조건을 잘 비교하고, 더 좋은 곳으로 옮기면 됩니다. 그렇다고 너무 자주 옮기는 것은 별로 좋지 않습니다. 왜냐하면 새로운 환경에 또 적응해야하고, 회사를 너무 자주 옮긴다는 이력이 남기 때문이죠!

회사를 옮기는 여러 이유가 있겠지만 연봉의 관점에서 볼 때 개인적으로 연봉 $6000 이상 차이가 나지 않으면 그대로 일하는 것이 좋다고 생각합니다. 예를 들어 연봉이 $5200.00 더 번다는 의미는 한주에 주급 $100.00 더 번다는 말입니다. 개인마다 이것을 받아들이는 정도가 다르겠지만 저는 이것 때문에 옮기기는 애매하다고 생각합니다. 저의 경우에는 Werner enterprise 에서 JB Hunt 로 옮겼을 때 대략 마일당 제 기억으로 6 cent 차이가 났고, 연봉으로 $15000.00 정도 차이가 났었습니다. 대략 Werner enterprise 에서는 연봉이 $45,000.00 이었다면 Jb hunt 에서는 첫해 $60,000.00 을 벌었다는 말입니다.

지금까지 학원을 선택해서 초보탈출까지 미국 트럭커가 되기 위한 간단한 타임라인을 살펴보았는데요!! 이제 다음장부터는 보다 구체적으로 한 단계식 알아보도록 하겠습니다.

7 장 학원등록

학원등록은 미국 트럭커가 되기 위한 첫단추입니다. 학원과 관련해서 2가지 주제로 나누어 살펴보려 하는데요!! 첫째는 학원선택이고, 둘째는 학원을 통해 CDL A 를 따는 것과 회사를 통해 따는 것의 장단점입니다.

7.1 학원선택

대부분의 학원은 필기시험에 대한 정보와 실기시험에 대한 스킬을 함께 제공합니다. 가장 먼저 생각나는 것은 학원비가 될텐데요!! 당연히 주마다, 학원마다 다르겠지만 대략 $5000.00 전후로 생각하면 될 것 같습니다. 그리고 학원을 선택할 때 아래의 요소들을 고려해 선택하면 좋겠습니다.

첫째, 160 hours Training Certificate 를 받을 수 있는 학원을 선택하는 것이 좋습니다. 왜냐하면 많은 메이저(Major) 트럭회사는 입사신청을 하면 CDL A 라이센스와 함께 160 시간을 연습했다는 증명서(Certificate)를 요구합니다. 물론 요구하지 않는 회사도 있지만 160 시간 증명서가 있다면 선택의 폭은 넓어질 수 있기 때문입니다.

특별히 뉴저지에서는 Smith & Solomon 그리고 Jersey Tractor Trailer Training 이라는 학원이 160 시간 훈련 증명서를

발급해 주는 것으로 알고 있으니 참고하기시 바랍니다.

둘째, 당연히 집에서 가까운 학원을 선택하는 것이 편하겠죠!! 물론 160 시간 훈련 증명서를 발급해 주는 학원중에서 선택해야겠죠!!

셋째는 학원에서 Financing 을 제공한다는 사실입니다. 다시 말해서 목돈으로 일시불로 학원비 $5000.00 이 없어도 학원등록이 가능하다는 말입니다. 예를 들어, 한달에 $1-200 불정도로 다달이 내면서 CDL A 를 딸 수 있는 제도가 있다는 말입니다. 이것은 다음에 살펴볼 학원을 통해 CDL 를 따는 것과 회사를 통해 CDL 를 따는 것의 장단점을 이해하는데 중요한 요소가 됩니다.

7.2 CDL A 를 따는 두 방법: 학원 VS 회사 장단점

미국트럭커가 되기 위해서는 우선 CDL A 라이센스를 따야겠죠!! 그런데 CDL A 라이센스를 따는 방법은 두가지가 있습니다. 첫째는 일반 사설학원을 통해서 따는 것이고, 둘째는 트럭회사를 통해서 따는 방법입니다. 이 두 방법의 장단점이 무엇이고, 어떤 것이 좋은지 개인적 판단을 내려보도록 하겠습니다.

일반 사설학원을 통해서 CDL A 를 따는 방법이 회사를 통해 따는 것보다 일반적이라 할 수 있습니다. 이 경우에는 본인이 학원비 대략 $5000.00 을 자비로 부담해야합니다. 그래서 회사에 취직한 후 본인이 원한다면 언제든지 회사를 떠날 수 있는 거죠!! 그런데, 회사를

통해서 CDL A를 따게 되면, 라이센스를 따는 비용은 회사가 부담합니다. 그래서 반대급부로 일정기간 (보통 1 년)동안 그 회사에서 의무적으로 일을 해야 합니다. 흔히 "노예계약"이라 부르는 상황에 빠지게 되는 거죠!! 1 년 동안 저임금 노동에 시달린다는 것이죠!! 이 방법의 가장 큰 장점은 학원비 부담없이 트럭커가 될 수 있는 것이죠!! 물론 그것에 대한 댓가를 "노예계약"으로 지불해야겠지만요!! 이 방법에 관심이 있는 분은 Google 에 Company Paid CDL Training 이라고 치면 원하는 정보를 얻을 수 있습니다. 두 방법의 차이를 간단히 알아보았는데요!! 여러분은 어떤 방법이 좋아 보이나요? 사설학원 아니면 트럭회사?

저의 개인적인 결론을 말씀드리면 일반사설학원을 통해서 CDL A 를 따는 것이 좋다고 생각합니다. 그 이유를 두가지로 설명을 드리면 첫째는 Tuition reimbursement 이고, 둘째는 언제든지 회사를 옮길 수 있다는 점입니다.

먼저, Tuition reimbursement 이라는 말은 쉽게 말해 학원비를 보상해 주는 제도입니다. 다시 말해 CDL A 를 따기 위해 사설학원에 낸 학원비를 돌려받을 수 있다는 말입니다. 대부분의 트럭회사들은 CDL A 라이센스를 막 딴 초보트럭커를 잡기위해서 Tuition reimbursement 제도를 운영하고 있습니다. 회사마다 운영방식과 금액은 좀 다를 수 있지만 대동소이하다고 보면 됩니다.

예를 들어, X-press 회사는 $7000.00 까지 Tuition

reimbursement가 가능하다고 홈페이지에 적고 있습니다. 그러면 회사들은 어떻게 학원비를 보상해 줄까요? 일단 회사에 입사한 후 학원비 사본을 내면 보상을 받을 수 있는데!! 10년전 제 경우에는 Werner enterprise에서 한 달에 한번 $100-150정도였다고 기억합니다. 보통 몇 년에 걸쳐 보상해 주는데 아마도 일시불로 주면 먹튀(?)문제가 발생할 수 있기 때문이 아닌가 생각합니다.

두번째 이유를 살펴보면, 회사를 언제든지 옮길 수 있다는 것입니다. 일반적으로 말해서 초보트럭커를 고용하는 회사의 임금수준은 경력직을 뽑는 회사보다 낮습니다. 경력직은 보통 3개월부터 시작해서 6개월, 1년, 2년 이런 식으로 나눌 수 있습니다.

그래서 만약 일반 사설학원을 통해 라이센스를 따고, 취업을 하고, training을 마치고, 3개월 경력이 쌓이면, 경력직을 뽑는 회사로 이직을 할 수 있다는 것이죠!! 그런데 회사를 통해 CDL A 따면 의무복무기간(노예계약)안에는 옮길 수 없는 거죠!! 사실은 옮길 수도 있습니다. 회사에서 제공한 훈련비를 페널티로 내면 되죠!! 이것도 각 개인의 상황에 따라 고려해 볼 수 있다고 생각합니다. 제 채널의 구독자중 한 분은 그렇게 했다고 들었습니다.

여러분은 일반사설학원과 트럭회사중 어떤 방법이 좋다고 생각하십니까? 저는 학원비를 장만할 수 있다면 일반학원을 통해 CDL A를 따고, 취업하는 것이 좋다고 생각합니다. 왜냐하면 3개월, 6개월 경력이 쌓였을 때 더 좋은 회사로 옮겨갈 수 있고, Tuition reimbursement도 받을 수 있기 때문입니다. 그리고 마지막으로 다시 한번 상기시켜드리면, 학원비 목돈 $5000.00이 부담스러운 분은 학원에서 Financing을 통해 한 달에 몇 백불씩 갚으면서 CDL A를 딸 수 있음을 꼭 기억하시기 바랍니다.

Rest area#2 ICC bar 의 용도

여러분이 지금 보시는 사진은 ICC bar의 모습인데요!! 트레일러 뒷쪽에 붙어 있는 금속막대입니다. 그런데 이것은 무엇을 위한 장치일까요? 크게 ICC bar는 기본적으로 2가지 기능을 가지고 있는데요!! 첫째는 dock에서 트레일러를 잡아 둘 때 사용하고, 둘째는 소형차가 트레일러 밑으로 들어가지 못하게 하는 기능입니다.

여기서 한걸음 더 들어가 질문하면, 어떤 것이 보다 원초적인 기능이었을까 하는 것입니다. 저는 처음에 첫째가 주목적이고, 둘째가 부산물로 기능하는 줄 알았습니다. 그런데 사실은 반대더라고요!! ICC bar를 만들게 된 사건이 있습니다.

1967년 미국 여배우 Mansfield가 트레일러 뒤쪽으로 들어가서 사망하는 사건이 발생하게 됩니다. 이 사건을 계기로 모든 트럭은 이 ICC bar 장치를 설치해야는 법적 의무가 가지게 된 것이죠!! 그래서 이 bar 이름을 Mansfield bar 라고 부르기도 하고, 법행적 개념으로 DOT bar, 혹은 ICC bar 라고도 부릅니다. 이런 계기로 만들어 진 후 Dock 에서 안전사고를 예방하기 위해 Trailer 를 움직이지 못하도록 붙잡아 두기 위해 이 장치를 이용하게 된 것 같습니다. 실무에서는 ICC bar 가 Dock 에서 트럭을 잡아두는 것을 늘 보았기 때문에 그것이 주목적이라고 생각한 것이죠!! Dock 에 초록불이 있으면, 들어가고 나올 수 있다는 것을 의미합니다. 그런데 Dock 에 Parking 을 한 후 초록불이 빨간불로 바뀌면 ICC bar 가 잡혔다는 말입니다. 운전해서 움직일 수 없게 되는 거죠!!

그런데 안에는 상황이 반대가 되겠죠!! 바깥이 빨간 불이면, 안은 초록불, 바깥이 초록불이면 안은 빨간불이 되는거죠! 이전에 ICC bar 를 잡는 장치가 없을 때는 서로 Communication 이 잘 못되어 안전사고가 많이 발생했다고 합니다. 예를 들어, 지게차가 트레일러가 들어가려는데 트레일러가 움직여서 앞으로 가버리면 지게차는 Dock 에서 아래로 꼬꾸지게 되는 거죠!! 위험하죠!! 그래서 이런 안전사고를 방지하기 위해 이 장치를 사용하게 된 것이죠!

정리하면 ICC bar 는 처음에 소형차가 트레일러 뒤쪽에 충돌했을 때 소형차 운전자를 보호할 목적으로 설치되었습니다.

그후에는 ICC bar는 상하차시 안전사고 예방을 위해 트럭을 잡아두는 장치로 활용되었다는 것입니다. 한마디로 ICC bar는 안전사고를 예방하기 위한 금속막대라고 할 수 있겠습니다.

8장 ELDT(entry level driver Training): 입문 운전자 훈련

2022년 2월 부터 미국 트럭커가 되기 위해서는 새로운 절차 ELDT를 통과해야 합니다. ELDT가 신설되어서 직접적인 경험은 없습니다. 트럭커를 시작하는 제 구독자님들과 소통하면서 대략적인 정보를 얻었습니다. 한마디로 말해서 트럭커의 안전과 능률을 위한 필기와 실기시험에 앞서 예비적으로 영상을 보고 공부하고 시험치는 절차라고 보면 됩니다!!

ELDT는 기본적으로 FMCSA의 가이드에 따르됩니다. 하지만 EDLT를 주관하는 곳에 따라 약간 차이가 있는 것으로 압니다. 2022년에 새롭게 시작한 절차라서 아직 안착이 안되서 그런지 담당자와 지역에 따라 들쭉날쭉하는 경향을 보이고 있다고 합니다. 제가 생각할 때 가장 좋은 방법은 학원의 지침을 따르는 것이 될 것 같습니다. 그럼 보다 구체적으로 ELDT의 대상, 장소, 과정에 대해 알아보겠습니다.

8.1 대상

FMCSA's Entry Level Driver Training (ELDT) regulations set the baseline for Training requirements for entry-level drivers. This applies to those seeking to:

- Obtain a Class A or Class B CDL for the first time;
- Upgrade an existing Class B CDL to a Class A CDL; or
- Obtain a school bus (S), passenger (P), or hazardous materials (H) endorsement for the first time.

  *첫번째 대상은 처음으로 CDL A 를 따려는 사람입니다.

  *두번째 대상은 CDL B 클래스에서 CDL A 로 업그레이드 하려는 사람입니다.

  *세번째 대상은 HME(위험물운송허가증) 따려는 사람입니다.

  따라서 이상의 세가지 경우에 해당하는 대상자들은 반드시 ELDT 과정을 통과해야 한다고 이해하면 될 것입니다.

8.2 장소

  가장 기본적인 장소는 학원이 되겠습니다. 그런데 학원에 따라 ELDT 를 처리하는 방식이 좀 다르다고 합니다. 예를 들어, 학원비 안에 포함된 가격으로 학원에서 공부하고 시험치는 곳도 있고, 다른 인터넷 사이트를 소개해 주는 것도 있고, 자체 ELDT 프로그램을 가진 곳도 있는 것 같습니다. 여기서 핵심은 ELDT의 가격이 되겠습니다. 학원비에 포함되어 있다면 다행이거나 어쩔 수 없고요!! 만약 본인의 선택에 따라 ELDT를 통과해야 한다면 좋은 사이트를 선택해야 하는데 문제는 ELDT 사이트의 가격이 천차만별이라는 것입니다. 가격이 $300 넘는 사이트도 본적이 있는 것 같아요!! 제가 개인적으로 추천하는 사이트는 Eldt.com 인데요!! 가격이 $25로 착합니다. 제 구독자 중 여러분이 이곳을 통해 ELDT을 했습니다. 별다른 문제가 없었다고 하니 이곳을 이용하면 좋을 것 같습니다.

8.3 과정

제가 직접 경험한 것이 아니어서 보다 정확한 정보를 드릴 수는 없음을 양해 바랍니다!! 대략적인 개요를 알려드리니 참고하시기 바랍니다. ELDT의 기본적인 구성은 영상을 시청하고, 그 영상내용에 대한 시험으로 구성된다고 합니다. 전체 ELDT는 35장으로 구성되고, 각 장마다 10문제가 나오고, 그 중 8개이상을 맞추면 다음으로 넘어가게 된다고 합니다. ELDT의 분량이 제법 많아서 몇 시간 이상 소요된다고 합니다. 그래서 중간에 저장하고 나왔다가 다시 공부를 이어갈 수 있고, 완전히 수업을 마치면 수료증(Certificate) 받게 된다고 합니다.

현재 제가 알기론 ELDT를 수료했는지를 확인하는 시점이 주에 따라, 지역에 따라, 담당자에 따라 조금 차이가 있는 것 같습니다. 그런데 공통적으로 실기시험 전에는 대부분 체크하는 것으로 알고 있는데 제가 사는 뉴저지주도 그렇다고 합니다!!

9장 필기 & 실기시험

CDL A를 따기 위해서는 ELDT를 통과하고, 필기시험과 실기시험을 통과해야합니다. 저는 개인적으로 혼자 책으로 공부해서 시험을 쳤습니다. 그런데 학원에 등록하면 기출문제를 중심한 시험정보를 제공받을 수 있다고 합니다. 속된 말로 "족보" 같은 정보 말입니다. 기본 순서는 필기시험이 먼저이고, 필기시험을 통과하면 실기시험을 볼 수 있습니다.

9.1 필기시험(CDL knowledge test)

필기시험은 주마다 내용과 절차가 약간 차이가 있을 수 있지만 기본적인 것은 동일하다고 볼 수 있습니다. 제가 사는 뉴저지를 중심으로 소개하면 다음과 같습니다. 필기시험에는 필수(공통)와 선택 두 종류의 시험이 있습니다. 필수는 3종목으로 구성되어 있는데 General knowledge(50 문항), Air brake(25 문항), Combination(20 문항)인데요!! 각 시험당 80 점 이상을 받아야 통과할 수 있습니다.

선택과목은 Endorsement인데, CDL A 운전자가 할 수 있는 특별기능에 대한 인가증이라고 보면 됩니다. 예를 들어, Tank, Hazmat, Passenger, Double & Triple 등인데요!! 그 종류는 5 가지인데 다음 도표와 같다.

Code	Vehicle	Endorsement	Special Requirement
T	Double and Triple Trailer	Needed for operators of vehicles pulling two or three Trailers.	A Class A license is required to operate this type of vehicle.
P	Passenger	Needed for operators of buses or similar vehicles used to transport passengers.	Requires a road test. Other special requirements [CDL Manual] are necessary. Download fingerprint application [pdf].
S	School Bus	Needed for all school bus drivers.	Requires a road test. Drivers who hold an "S" endorsement will also have to test for a "P" endorsement-both are required to operate a school bus. Download the S Endorsement

brochure. [491k pdf].

N	Tank Vehicle	Needed for operators of vehicles that transport liquids or gas in bulk.	
H	Hazardous Materials	Needed for operators of vehicles transporting hazardous materials.	Must be trained and retested every two years. Note: Federal Requirements [152k pdf].

개인적으로 T, N, H Endorsement를 딸 것을 권합니다. 왜냐하면 취업시 선택의 폭이 넓어지기 때문이죠!! 특별히 H Endorsement은 꼭 딸 것을 권합니다. 왜냐하면 취업에 유리할 뿐만 아니라 특별보상(수당)을 받을 수 있기 때문이다. 트럭회사에서는 H

Endorsement를 선호합니다. 따라서 어떤 회사는 H Endorsement이 없는 운전자에게 몇 달안에 그것을 따는 조건으로 입사시키는 곳도 있습니다. 보다 자세한 사항은 3부 초보트럭커로 살아남기 18장 HME 에서 살펴보도록 하겠습니다.

그럼 이제 공부방법을 좀 살펴보죠!! 공부방법에는 두 길이 있는데 하나는 책(Manual)이고, 또 다른 하나는 인터넷에서 문제를 풀어보는 방법입니다. 먼저, 책(Commercial Driver License Manual) 은 MVC(Motor Vehicle Commission: 운전면허국)에서 가면 무료로 얻을 수 있습니다. 대략 60장 정도의 분량(뉴저지 기준으로)입니다. 책은 기출문제를 풀다 이해가 잘 안되는 부분을 재확인하는데도 도움이 됩니다. 그리고 책을 보면 어떤 형태로 문제가 출제되는지 출제경향을 파악할 수 있습니다.

인터넷을 통한 공부는 Google에 Free test for CDL 혹은 CDL free test 라고 치면 많은 문제를 공짜로 풀어 볼 수 있습니다. 아주 쉬운 문제에서 어려운 문제까지 다양한 문제가 있으나 반복해서 풀면 도움이 될 것입니다. 가장 좋은 방법은 책과 문제풀이를 병행하는 것이라고 생각합니다. 그리고 여기서 시험을 **어떻게** 응시하는 것이 좋은지 생각해 보아야 합니다. 왜냐하면 한번 떨어지면 몇 주 뒤에 시험을 재응시할 수 있기 때문입니다. 물론, 공부를 빡시게 해서 한꺼번에 모든 과목을 pass하면 좋겠죠!! 하지만 영어로 시험을 봐야하고, 용어들도 낯설어서 쉽지만은 않을 것입니다. 필기시험에 실패하면 할수록 면허증을 따는 시간이 길어지겠죠!! 그러니 대략 두번에 걸쳐 나누어서 한번에 합격하는 것이 시간절약에 좋을 것 같습니다. 예를 들어 본인이 하고 싶은 시험과목이 4개면, 두개 먼저 합격하고, 다음에 2개를 치는 그런식 말이죠!! 다시 말해 어떤 방법이 시간을 절약하고, 능률적인지 본인의 상황에서 잘 판단하면 되겠습니다. 필기시험을 합격하고 Medical examiner's certificate(신체검사증)을 제출하면, CLP(Commercial learner permit: 상업용 실기연습허가증)받게됩니다.

9.2 실기시험(CDL skill test)

필기시험과 마찬가지로 주별로, 지역마다 순서와 과정에서 약간의 차이가 있을 수 있지만 대동소이합니다. 뉴저지를 중심으로 살펴보면, 실기시험은 기본적으로 3가지 단계로 구성되는데요!! 1단계는 Pre-trip & Air brake 이고, 2단계는 주차 Straight, Alley dock, Parallels 이고, 3단계는 Road test 입니다.

1단계 Pre-trip 과 Air brake 시험은 시범을 보이면서 하는 구술시험이다. 기본적으로 Pre-trip 은 Tractor Trailer 의 각 파트들이 어떻게 기능하는지 설명하는 방식으로 진행됩니다. Tractor Trailer 를 돌면서 시험관에게 설명하는데 실무에서는 크게 도움이 되지 않지만 그냥 외워서 말하면 되겠습니다. 제 경우를 말씀드리면, 원래 제 앞까지는 시험관이 오른 쪽에서 왼쪽으로 돌면서 응시자에게 설명을 하라고 했습니다. 그런데 제 차례가 되자 갑자기 왼쪽에서 시작해서 오른 쪽으로 돌면서 설명하라고 하였지요!! 약간 당황했지만 무사히 통과했습니다. 그냥 외우는게 장땡(?)입니다.

그리고 Air brake 도 시험관에게 Air brake 가 어떻게 작동하는지 시범을 보이면서 설명하는 구두시험입니다. 좀 막연하지만 학원에서 가르쳐 주는 대로 외워서 하면 됩니다. 영어 때문에 좀 불편하겠지만 너무 주눅들 필요는 없습니다.

2단계는 Basic skill 인데 한마디로 기본 주차스킬을 test 하는 시험입니다. Straight, Alley dock, Parallel park 등을 보게 됩니다. Tractor Trailer 즉 CDL A 시험의 꽃이라 할 수 있을 것 같습니다. 왜냐하면 Tractor Trailer 의 후진은 소형차와 정반대이기 때문입니다. 트랙터 트레일러의 후진을 익히기 위한 가장 좋은 방법은 **연습** 뿐입니다. Rest area#1 후진과 뇌과학에서 살펴본 것 처럼 우리 뇌속에 트랙터 트레일러 후진이라는 **뇌회로**를 만들어야 합니다. 그 회로를 만들기 까지 정말 답답한 시간을 보내야 할 것입니다. 사람마다 정도의 차이는 있겠지만 어느 **임계점**에 도달할 때 까지 매번 헤메게 될 것입니다. 머리로 이렇게 하면 되는데 몸이 그렇게 반응하지 않기 때문입니다. 그것을 일치시키는 것이 바로 **연습**이죠!!

기본적인 후진의 방법은 아래의 도표와 같습니다. 이것을 연습해서 시험을 치게 됩니다.

Straight Line Backing

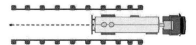

Offset Back/Left

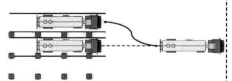

Offset Back/Right

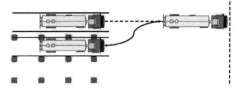

Alley Dock

Parallel Park (Sight Side)

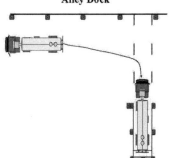

Parallel Park (Conventional)

3단계는 Road test 입니다. 시험관이 배석한 상태에서 일반도로를 주행하면서 치는 시험입니다. 시험관은 10분 전후의 시간에서 기본적인 운전스킬, 교통표지판과 트래픽 사인등을 잘 지키는 지 여부, 기어를 적절하게 잘 사용하는지 등을 보고 합격여부를 판단하게 됩니다.

실기시험을 보기 위한 Tractor Trailer은 응시자가 준비해야 합니다. 걱정할 필요는 없습니다. 보통 학원에 등록하면 시험을 볼 때 학원에서 Tractor Trailer를 준비해 줍니다. 이것은 학원비에 이것이 포함되어 있다는 의미겠죠!! 그래서 보통 시험을 칠 때 학원에서는 학원의 트랙터 트레일러를 가지고 여러명의 응시자를 모아서 함께 갑니다.

실기시험도 필기시험과 마찬가지 떨어지면 몇 주 뒤에 시험을 볼 수 있고, 여러 차례 떨어지면 6개월정도 기다려야 합니다. 시간절약을 위해 잘 준비된 상태에서 시험을 치는 것이 좋겠습니다. 여기서 다른 질문이 하나 생깁니다. 만약 내가 1단계는 통과하고, 2단계에서 떨어지면 어떻게 되는가? 네, 답은 어쩌면 간단합니다. 1단계에서 떨어지면 1단계에서 다시 시작, 2단계에서 떨어지면 2단계에서 다시 시작, 3단계에서 떨어지면 3단계에서 다시 시작한다는 것입니다. 다시 말해서 이미 패스한 단계는 다시 시험칠 필요가 없다는 말입니다.

실기를 통과하면, 합격증을 가지고 MVC 가지면 Class A 면허증을 발급 받을 수 있습니다. 선택과목이었던 Tank, Double, Hazmat endorsement 는 면허증 뒷면에 함께 넣어줍니다. 이제 CDL A 라는 고개를 넘어 취업이라는 다른 고개로 가야할 시간입니다. 고생하셨습니다!! 꾸벅

10 장 Application(취업신청)/Orientation/Training

10.1 취업신청하기(Application)

CDL A 라이선스를 취득하고 가장 먼저 해야 할 일은 바로 취업신청(Application)을 하는 것이다. 여기서 가장 먼저 던져야 할 질문은 "경험이 없는 초보자를 뽑는 Major Company 에는 어떤 회사가 있는가?" 하는 것이다. 대략 열 손가락에 꼽을 수 있는데 예를 들면 Swift, Schneider, Werner, Prime, Western, Crst, CR England, Central 등등입니다. 대부분의 구직신청(application)은 온라인을 통해서 하는데 크게 두가지 방법이 있습니다. 하나는 개별적으로 각각의 회사에 Application 을 신청하는 것입니다. 선택적으로 몇 개의 회사를 골라 신청하는 방법입니다. 또 다른 하나는 Indeed.com 을 통해 신청하는 방법인데요!! Indeed.com 에서 간단한 이력서와 Application 을 제출하면, 신청인의 모든 정보가 한번에 대부분의 트럭킹 회사에 뿌려지게 됩니다. 그럼 몇 주 안에 관심있는 트럭회사로부터 많은 Email 를 받게 되는데 그 중에서 취사선택하면 되겠습니다.

신청인이 회사를 선택하고 응답 메일을 보내면 트럭회사로 부터 Orientation 에 참석하라는 메일을 받게 될 것입니다. 대부분의 트럭회사에서는 교통편(고속버스 or 비행기표)과 숙식을 기본적으로 제공합니다. 그렇지만 Orientation이 끝나면 바로 Training 받아야 하기 때문에 짐을 꾸릴 때 자신의 침구류도 준비해야 합니다. 저는 개인적으로 침낭 하나를 가져가 사용했습니다.

10.2 Orientation

회사를 선택하면 회사에서 메일로 오리엔테이션에 대한 정보를 보내줍니다. 언제, 어디서, 무엇을, 어떻게 하는지에 대한 기본정보를 알려주죠!! 예를 들어, 펜실베니아(PA) 어떤 도시에 어떤 주소로 몇 일 몇시 까지 도착하라 뭐 그런 것이죠!! 오리엔테이션 장소는 트럭회사의 특정장소에서 열리기 때문에 장거리 이동을 해야할 경우도 있습니다. 따라서 회사에서는 이동경비와 숙식을 제공하는데 이동경비는 거리와 환경에 따라 비행기표 혹은 고속버스표 등으로 대체합니다. 잠자리는 보통 모텔에서 2인 1실 혹은 1인 1실로 주어집니다. 오리엔테이션 기간중 점심은 공짜인데 주로 햄버거나 Subway 같은 것이라 생각하면 됩니다. 저녁은 일과 후에 자비로 자유롭게 즐기면 됩니다.

Orientation은 대략 3-4일에서 1주 정도 기본이론교육을 받습니다. 회사마다 다르지만 Driving test를 하는 곳도 있습니다. 여기서 몇 번 떨어지면 집으로 돌아가야 합니다. 오리엔테이션 과정은 신체검사, 마약검사, 기본 안전 교육, 의료보험, 은행정보 등에 관한 서류작업으로 구성됩니다. 이 과정에서 상식이하로 운전을 못하거나, 기본교육과정을 따라가지 못하면 "짤릴 수 있습니다". 그렇지만 너무 걱정마세요!! 한국사람이면 조그만 노력하면 누구나 가능하리라 생각합니다. 회사에서 시험을 치고, 이론 테스트를 하는 것은 어떤 사람을 떨어뜨리려고 하는 것이 아니라 교육적 효과를 극대화하기 위한 것으로 알고 있습니다. 열심히 하면 대부분 통과할 수 있습니다.

오리엔테이션을 받을 때 한가지 팁을 드리면, 동기들과 친하게 지내고, 그들의 도움을 받는 것이 좋습니다. 영어가 이해가 잘 안될 때, 미국사정을 잘 몰라 어떤 의료보험을 결정해야하는지 모를 때, 그리고 시험치는 방법을 이해하지 못했을 때는 동기들에게 도움을 청하시기 바랍니다. 왜냐하면 군대 훈련소에서 피교육자로 고생하면 동기애가 자연스럽게 생기듯이 오리엔테이션에서 만난 동기들은 동기애가 생길 수 밖에 없기 때문입니다.

하루일과는 보통 학교처럼 8-9시 일과를 시작해서 오후 4-5시에 끝난다. 일과시간후에 자유시간입니다. 때때로 회사에서는 셔틀버스나 봉고차 같은 것으로 가까운 월마트에 쇼핑을 할 수 있는 시간을 제공하는데 필요한 생필품은 그 때 구입하면 됩니다.

10.3 Training with Trainer(트레이너와 트레이닝 받기)

Orientation 을 무사히 마치면 회사에서 Trainer 를 배당해

줍니다. 미국트럭커가 되기 위한 실제적인 첫단추라 할 수 있습니다. 군대로 말하면, 사수, 아버지죠!! 복불복이죠!! Trainer를 잘 만나 사이좋게 지내며 잘 배우는 것이 행운이겠죠. 교육이 끝나면 Trainer가 교육을 평가하고 싸인합니다. 너무 겁 먹을 필요는 없습니다. 큰 사고 없으면 왠만하면 통과한다고 보면 됩니다. 이것 때문에 간혹 갑질을 하는 양아치 Trainer을 만날 수도 있습니다. 좋은게 좋은거죠!! 잘 지내는 것이 좋습니다. 차 안에서 트레이닝기간동안(1-2달)을 성인남자 두명이 함께 생활하는 것이 마냥 쉽지는 않을 것입니다. 사이가 안 좋으면 더 그렇겠죠!! 그런데 만약 Trainer가 비상식적이고, 인종차별적인 행동을 하면, 가만 있으면 안됩니다. 일단 그 양반 (Trainer)에게 말로 항의하시고, 시정이 안되면 회사에 연락하시고, 심하면 경찰에 신고해도 됩니다. Trainer도 상황이 악화되는 것을 원하지 않을 것입니다. 왜냐하면 그들도 잘못되면 회사에 짤리고, 경찰에 체포될 수 있다는 것을 알 테니까요!!

Training 기간을 좀 살펴보면, 회사마다 좀 다릅니다. 짧게는 1-2주에서 길게는 8주정도까지 다양합니다. 보통은 시간당으로 많이 하는데 예를 들면 200시간을 무사히 운전해야 Training을 마치게 된다 뭐 이런 거죠!! Trainer와 Training하는 동안은 정해진 미니멈페이만을 받게 됩니다. 그래서 어떤 사람들은 돈을 좀 빨리 벌고 싶은 욕심으로 Training 기간이 짧은 회사를 선택하는 경우도 있습니다. 무조건 Training 기간이 짧은 회사를 선택하기보다는 조금

길더라도 나름대로 체계적인 Training을 받는 것도 좋다고 생각합니다. 왜냐하면 Trainer에게 배운 기초적인 것들이 트럭커의 평생운전습관이 될 수 있기 때문입니다.

Trainee 트럭커는 사수 Trainer에게서 모든 실무적인 지식을 배우게 됩니다. 예를 들어, 운전하는 법, log 시간관리하는법, GPS 사용법, 회사와 고객과의 communication 하는 법, 서류작업하는 법, truck stop 사용하는 법, 기름 넣는 방법, 사고나 고장났을 때 처리하는 법 등 모든 실무적인 일들을 옆에서 보며 배우게 됩니다. 잘 이해가 안되면, 질문하시고 잘 이해하시기 바랍니다. 왜냐하면 이때 배운 지식이 트럭커의 평생자산이 되기 때문입니다. Training 과정을 무사히 마치게 되면 지정된 terminal로 들어갑니다. 그러면 Trainer가 모든 Training 과정에 대한 평가를 하고, 모든 서류에 싸인하면 Training 과정이 일단락됩니다. 그리고 나면 회사에서 본인의 Tractor를 할당해줍니다. 이제부터 Trainee가 아니라 초보 trucker로서 실무전선에서 일하게 되는 것입니다.

Rest area#3 Cabover vs Conventional Tractor

몇 년 전에 한국에 갔을 때 제가 트레일러 기사라 한국의 트랙터 트레일러를 자연스럽게 보게 되었는데요!! 대부분이 Cabover Tractor 이더라고요!! 근데 미국은 반대로 대부분 Conventional 트랙터이거든요!! 그래서 왜 한국과 미국의 주종 트랙터의 형태가 다른지 궁금했죠!! 그리고 Cabover 트랙터와 Conventional 트랙터는 어떤 차이와 장단점이 있는지도 궁금했는데 함께 알아보도록 하겠습니다.

먼저, Cabover 트랙터를 한마디로 쉽게 정의하면, 사진처럼 엔진이 운전석아래에 있는 트랙터을 말합니다. Conventional 은 엔진이 운전석 앞에 있는 트랙터입니다. Cabover 방식은 유럽이나 아시아에서 대세이고, 미국에서는 Conventional 은 미국에서 대세인데, 무엇 때문에 각 지역은 다른 선택을 하게 되었을까요? 네,

가장 기본적인 대답은 트랙터의 길이 즉 휠 베이스의 길이에 있습니다.

다시 말해서 유럽과 아시아에서는 대체로 도로가 좁은 편이니 트랙터의 휠베이스가 짧은 것이 골목길을 턴할 때 훨씬 편하겠죠!! 그런데, 미국은 땅이 넓어 웰베이스가 길어도 상대적으로 괜찮겠죠!! 그리고 각지역과 나라에서는 트랙터 트레일러의 길이를 제한하는데, 이익창출의 관점에서 볼 때 트레일러의 길이를 널려서 짐을 많이 실은 것이 좋겠죠!! 그래서 기본적으로 트랙터의 길이는 줄이고, 트레일러의 길이를 넓히게 된 것이죠!! 그러다 보니, Cabover 방식의 트랙터를 선호하게 된 것이죠!!

미국에서도 1980년 이전까지는 capover 방식의 Tractor가 대부분이었습니다. 왜냐하면 트랙터 트레일러의 길이에 대한 제한이 있었기 때문이죠!! 어쨌든 대략 1980 초에 트레일러의 길이가 48 feet 까지 제한되었고, 1990 초에서 53 feet 까지 길어지게 된 것이죠!! 그리고 80년에 트랙터의 길이에 대한 제한이 없어지면서!! 자연스럽게 Conventional이 대세가 된 것이죠!! 보다 구체적인 이유는 캡오버와 컨벤셔널의 차이와 장단점을 비교해 보면 잘 알 수 있는데요!! 그래서 5 가지 항목으로 살펴보면,

첫째, wheel base의 길이라는 관점에서 보면, 캡오버는 컨벤셔널의 비해서 wheel base가 짧죠!! 그러면 장점은 코너를 돌 때 반경이 작아 지겠죠!! 다시 말해서 좁은 공간에서 코너링이 더 쉽게 할 수 있다는 것이죠!! 그런데 반대급부로 wheel base 짧으면 안정성은

떨어지겠죠!! 다시 말해서 차렷자세와 열중 쉬어 자세중에 어떤 것이 안정적인가요? 두 발 사이의 거리 큰 것이 안정적이잖아요? 마찬가지로 wheel base 의 길이가 길면 더 안정적이게 된다는 거죠!! 그런데, 컨벤션은 반대로 코너링에서는 반경이 크고, 많은 공간이 필요해서, 좁은 공간에서는 코너링에 어려움이 있겠죠!! 그렇지만 wheel base 가 기니 안정성은 높아지겠죠!!

두번째는 충돌시 안전문제인데요!! 당연시 Conventional 이 충돌시 운전자보다 안전하겠죠!! 왜냐하면 특히나 정면충돌시 앞쪽의 엔진룸이 충격을 흡수하는 안전장치로 사용될 수 있기 때문이죠!! 그러니 운전자의 안전문제를 생각하면 Conventional 이 Cabover 보다 확실히 낫다고 볼 수 있죠!! 그래서 제 입장에서는 저는 운전하는 사람이니!! Conventional 에게 손을 들어 주고 싶어요!!

세번째는 연비를 생각해보면, 일반적으로 말해서 Conventional 이 Cabover 보다 낫다고 할 수 있죠!! 왜냐하면 공기역학적으로 Conventional 이 Cabover 보다 공기흐름이 원활해 더 효율적으로 달릴 수 있다는 것이죠!! 그런데 Cabover 는 공기와 정면으로 마찰되는 부분이 커서 연비가 좀 떨어진다고 할 수 있죠!!

네째는 승차감인데요!! 이것도 기본적으로 Conventional 이 Cabover 보다 낫다고 할 수 있습니다. 왜냐하면 Cabover 은 기본적으로 운전석 밑에 엔진이 있기 때문에 엔진소리가 Conventional

에 비해 더 심할 것이고, 또한 엔진룸의 공간 때문에 운전석이 Conventional에 비해 약간 높다고 할 수 있죠!! 높으면 더 흔들리고 당연히 안정감과 승차감이 좀 떨어지는 거죠!! 그러니 장거리 운전에는 Conventional이 Cabover보다 더 낮다고 말할 수 있는 것이죠!!

다섯번째, 시야확보의 관점에서 보면 Cabover가 당연히 Conventional보다 좋습니다. 그리고 특별히 코너링을 할 때도 시야확보가 잘 될 수 있기 때문에 안전사고를 예방하는데 더 좋겠죠!! 이문제와 관련해서 Cabover는 마감재를 사용해서 소음문제를 완화시키려 노력하고 있고, Conventional은 시야확보를 보다 잘하기 위해 디자인을 개선하고 있는 것이죠!!

결론적으로 Cabover의 가장 큰 장점은 확실한 시야확보와 좁은 공간에서 코너링을 잘 할 수 있는 것이고요!! Conventional의 가장 큰 장점은 충돌시 보다 안전하고, 코너링시에 안정감이 더 있고, 연비가 더 좋다는 것이죠!! 따라서 땅이 좁고, 도로가 협소한 곳에서는 Cabover가 보다 효율적으로 사용될 수 있죠!! 그래서 유럽이나 아시아에서 Cabover Tractor가 대세인 것 같고요!! 미국은 땅도 넓고, 도로가 넓은 편이라 보다 안전하고, 안정감이 더 있고, 연비가 좋은 Conventional이 대세인 것 같습니다. 그리고 터미널 혹은 yard에서 트레일러를 움직일 때, 도시에서 복잡한 로칼 즉 단거리에서는 시야확보와 코너링이 좋은 Cabover가 메리트가 있을 것 같고요!! 반대로 장거리에는 승차감과 연비, 안전이 더 좋은 Conventional이 더 좋을 것 같습니다.

11 장 Application/Orientation/ Training 에 대한 생생한
경험담

10 장에서 간단하게 application/orientation/ Training 각
과정을 살펴보았는데요!! 그럼에도 불구하고 CDL A 라이센스를 금방
딴 예비 트럭커들에게 application/orientation/ Training 전 과정이
미지의 세계라 막연하고 두려울 것입니다. 그래서 보다 구체적으로
저의 생생한 경험담을 소개하는 것이 도움이 될 것 같은데요!! CDL A
라이센스를 딴 후 어떻게 트럭회사에 취업신청을 하는지,
오리엔테이션은 어떻게 진행되는지, Training 과정은 어떤 것인지 함께
살펴보도록 하겠습니다. Let´s get it!!

CDL A 라이센스라는 봉우리를 넘으면 모든 것이 끝나는 줄
알았는데 취업이라는 또 다른 산이 버티고 있죠!! 위에서 말씀드린대로
첫번째 할 일은 application(취업신청)을 작성하는 일이죠!! 저는
Indeed.com 과 개별적으로 트럭회사에 동시에 job application 을
냈습니다. 그 중에서 가장 먼저 메일을 받은 것이 Werner enterprise
였습니다. 그래서 Werner 를 선택하고 답장을 하게 되었죠!! 제 개인적
생각에 무경력자를 뽑는 회사중에 비교적 괜찮은 트럭회사는
Schneider 와 Swift 가 아닐까 생각합니다. 보다 구체적인 것은 본인이

비교 검토해 보시길 바랍니다.

그럼, 여기서 질문이 나올 수 있죠!! 왜 어떤 회사들은 초보(무경력자)를 뽑아서 training을 시켜줄까요? 저도 정확히 이유는 모릅니다. 먼저 카더라 통신에 의하면, 정부에서 초보자를 뽑는 회사에게 일정한 보조금이 있다는 말이 있습니다. 정부입장에서 실업율 줄이고, 취업을 장려할 수 있기 때문이겠죠!! 그리고 이것은 제 뇌피셜인데, 트럭회사입장에서도 이익이 될 수 있기 때문입니다. 회사가 자선사업자도 아니고, 손해를 보면서 초보자를 뽑진 않겠죠!! 두 가지를 생각해 볼 수 있는데요!! 첫째는 트럭커를 잘 수급하기 위한 수단으로 초보자들에게 기회를 제공하는 것입니다. 처음 시작하는 회사에서 계속 일할 확율도 높은 것이고요!! 두번째는 약간 부정적으로 보면 초보자를 뽑아 쓰면서 Training이라는 명목아래 미니엄페이를 지급하고, 그 노동력을 착취(?)하려는 의도가 아닌가 하는 거죠!! 다시 말해서 Trainee에게 미니엄만 지급하고, Trainee가 운전한 것을 회사와 Trainer가 나누어 먹는 다는 거죠!! 그 구체적인 portion은 모르겠구요!!

예를 들어 저는 두 달정도를 Training을 받았는데요!! 처음에는 운전대를 주지 않았고, 3-4일 뒤부터 하루에 1-2시간 정도하면서 운전시간을 조금씩 늘려나가드라고요!! 그러다 1달 정도 지나면서는 마치 team 드라이브처럼 맞교대로 운전을 하게 되었죠!! 제 경우에는 제가 주로 밤 운전을 했고, Trainer는 주로 낮 운전을 했죠!! 하루에 몇 시간을 운전하는 것과는상관없이 초보 Trainee 인 저는 정해진 미니엄페이만 받는 거죠!! 10년전 제 미니엄페이는 주당 $400.00이었습니다. 1년전 Central에서 몇 주 Training을 받은 지인은 미니엄페이 $700을 받았다고 하더라고요!! 회사마다 미니엄페이는 약간 다를 수 있으니 참고하시기 바랍니다. 그런데 Training은 경력을 쌓기 위해서 어쩔 수 없는 과정입니다. 딴 방법이 없습니다. "이 또한 지나가리라." 그냥 참고 견뎌야 합니다. 나무아미타불!!

다시 처음으로 돌아가서요!! Application를 내면 많은 회사에서 메일을 받게 됩니다. 그 중에서 회사를 선택하고 답장을 보내면 트럭회사로 부터 오리엔테이션에 참석하라는 메일을 받게 됩니다. 위에서 말씀드린대로 회사에서는 기본적으로 교통편과 숙박시설을 제공합니다. 제 경우는 펜실베니아에 있는 Werner 터미널에서 Orientation를 받았죠!!

Orientation에 갈 때 중요한 것은 짐을 잘 싸는 일입니다. 왜냐하면 일단 오리엔이션에 가면 Training을 무사히 마치고, 자신을 차를 할당받을 때까지 집에 갈 수 없습니다. 혹시 Trainer와 같은 주에 살면 갈 수도 있겠죠!! 어차피 Trainer가 쉴 때 Trainee도 쉬어야 하니까요!! 그러니까 짐을 꾸릴 때 침구류, 일주일치 의류, 셀폰차지, 비상약, 비상금, 책, 랩탑 등 잘 준비해야합니다.

오리엔테이션은 대략 3-4 일, 일주일이내에 끝납니다. 먼저 Road test 에 대해 말씀드리면 회사마다 다른데 어떤 회사는 Orientation 첫째날 자체적으로 다시 Road test 를 실시합니다. 여기서 불합격되면 집으로 돌아가야 합니다. Werner 는 Road test 는 따로 하지 않았습니다. 오리엔테이션과정은 신체검사, 서류작업, 안전교육, 운전교육 등으로 구성됩니다. 오전에 대략 3-4 시간 실시하고, 점심을 먹고 오후 일과를 대략 3-4 시간 정도 한다고 보면 됩니다. 오후 일과를 마치면 숙박지로 돌아가 자유시간을 가지게 됩니다.

오리엔테이션을 받을 때 영어가 잘 이해가 되지 않으면 질문하면 도움을 받을 수 있으니 너무 주눅 들거나 겁 먹을 필요는 없습니다. 그리고 동기들과 사이좋게 친하게 지내세요!! 군대로 말하면 훈련소 동기들이니까요!! 잘 이해가 안되는 것, 시험을 통과하는 노하우 등을 물어보세요!! 예들 들면 어떤 교육과정을 받으면 피드백이 잘 되었는지 확인하는 시험을 치게 됩니다. 처음에 저는 시험치는 요령을 몰라 시험점수도 약간 낮게 나오고, 시간도 많이 걸렸죠!! 동기들은 다 정리하고 먼저 가더라고요!! 그래서 그날 저녁 동기에게 물었죠!! 어떻게 그렇게 빨리 시험을 치고, 통과할 수 있니? 그러니까 동기가 하는 말이 컴퓨터에서 답을 하고 틀리면 다시 back 으로 돌아가서 답을 다시 하면 된다고 하더라고요!! 제가 그 부분을 잘 이해하지 못한거죠!! 트럭회사에서도 어떤 사람을 불합격시키지 위해 시험을 치는 것이 아니라 교육의 성과를 높이기 위해서 시험을 치는 것입니다. 그러니 너무 걱정할 필요는 없습니다. 한국사람이면 조금만 노력하면 문제 없다고 봅니다.

기본 오리엔테이션을 마치면, Trainer를 할당받게 되는데요!! 회사에 한국인 Trainer가 있는지 물어볼 수도 있을 것 같습니다. 이때부터 동기들은 각자 따로 움직입니다. 왜냐하면 각 Trainer의 load 스케줄에 따라 Trainee를 픽업하는 시간이 다르기 때문입니다!! 그래서 어떤 사람은 몇 일을 모델에서 더 기다려야 하는 경우도 왕왕 있습니다. Trainer가 terminal로 들어오면 회사에서 연락이 옵니다. 모델 Check out 하고 Terminal로 오라고요!!

이제 Trainer를 만날 시간입니다. 복불복이죠!! Trainer은 기본적으로 Trainer가 되는 교육을 받은 사람들입니다. 경력이 많다고 무조건하는 것은 아니죠!! 제 Trainer는 경력이 3년 되었다고 하더라고요!! 그리고 어떤 사람들은 Trainer하는 것을 별로 좋아하지 않습니다. 생각해보세요!! 다 큰 성인남자 둘이서 한 트럭에서 1-2달 같이 지낸다는 것이 깜방생활과 비슷한 거죠!! Trainer은 나름대로 회사의 교육을 받아, Trainee를 어떻게 교육할지에 관한 기본 매뉴얼을 가지고 있습니다. 기본적으로 Trainer와 사이좋게 지내는 것이 좋습니다. 어차피 1-2달 같이 생활해야 하고, 또 실무를 배워야하기 때문입니다.

그런데 만약 정말 부당한 대우를 하거나 인종차별적 언사와 행동을 하는 돌아이(?) Trainer를 만난다면 어떻게 할 수 있을까요? 위에서 말씀드린대로, 일단 말로 대화하고, 안되면 회사에 연락하면 됩니다. 그래도 안되면 경찰에 신고해도 되고요!! 가장 좋은 것은 대화를 통해 풀고, 적당히(?) 잘 지내는 것입니다. 우리의 목적은 무사히 Training 을 마치고 경력을 쌓는 것이니가요!! 참아야 하느니라!! 나무관세음보살!!

저의 Trainer 의 이름은 Darrell 이었습니다. 키가 180cm 정도이고, 몸무게 적어도 100kg 는 될 것 같은 사람이었죠!! Darrell 는 고졸 학력으로 전직 세프였습니다. 그는 당뇨가 있어 다리가 좀 부어 있었죠!! 나이는 40 대 중반으로 전형적인 미국 백인 아재처럼 보였습니다. 결론적으로 100 점 만점으로 점수를 주면, 85 점입니다. 그렇게 나쁘지도, 그렇게 좋지도 않았습니다. 그저 그랬죠!! 이정도면 감사 해야죠!!

첫날 저녁, Trainer 는 첫 날과 마지막 날은 자기가 밥을 산다며 트럭스답에 있는 식당으로 나를 초대했습니다. 첫날은 그렇게 조수석에 앉아서 Trainer 가 운전하는 것을 지켜보고 통성명 정도하면서 보냈습니다. 2-3 일을 그렇게 조수석에서 앉아 Trainer 가 운전하는 것을 지켜보았습니다. 그러면서 가끔 이럴 때 조심해야된다 라던지, 운전일반에 대해 말해 주었습니다. 4 일째 되는 날 어느날 트럭스탑에서 주유를 마치고, 갑자기 내게 키를 주며 운전을 함 해보랍니다. 처가집을 처음 방문했을 때 처럼 긴장된 마음으로 운전을 했죠!! 입에 발린 말인지 잘한다고 하더라고요!! 그런데 한가지 기어를 변경할 때 "클러치를 깊게 밟지 말고 살짝만 밟아라"라고 충고해 주었는데 아직도 그 말이 생생하게 기억납니다.

이틀이 지나 Training 시작 한 후 첫 주말이 되었습니다. Trainer 가 사는 곳은 테네시주였기 때문에 Trainer 의 그 주 마지막 Load 을 테네시로 받았고, 우리는 함께 테네시로 갔습니다. Trainer 은 5일을 일하고 주말 이틀은 집에서 쉬는 다시 말해 "5 days out 2 day in"하는 전형적인 OTR 트럭커였습니다. 그는 테네시에서 마지막 Load 를 마치고, 나를 어느 허름한 모델에 내려주었습니다. 이틀 뒤 월요일 아침에 Pick up 하러 올 때까지 여기서 잘 지내라 하고, 자기 집으로 가버렸습니다.

내 평생 잊을 수 없는 모델방 살이가 시작된 거죠!! 테네시 어느 도시의 변두리, 약간 습하고, 담배냄새가 배어 있던 모텔방, 내게 친절했던 인도 아저씨와 아줌마의 만남!! 그리고 옆에는 주유소가 있고, 도로 건너편에는 맥도날드가 있었죠!! 기억이 생생하네요!! 지금 문을 열고 나가면 그 거리가 있을 것 같습니다.

주말에는 혼자 모델에서 보내며, 매끼를 떼우는 것이 일이었죠!! 대략 2주 한국 음식을 먹지 못해, 한국음식이 간절했죠!! 그런데 우연히 모델 옆에 있던 주유소 편의점에서 한국 농심 사발면을 발견했습니다. 할렐루야!! 2주만에 맛본 한국의 맛이었죠!! 아침은 맥도날드에서 아침메뉴와 커피, 점심과 저녁은 중국음식 아니면 사발면 등으로 주로 떼웠습니다.

첫 주말이 그렇게 지나고, 월요일 아침이 돌아오면, 약속시간에 맞추어 완전무장하고, Trainer를 기다렸죠!! Trainer 와서 나를 픽업하면 새로운 한 주를 그렇게 시작되는 거죠!! Same shit, Different day!! 같은 똥, 다른 날!!

Trainer는 점점 더 내게 운전할 수 있는 시간을 많이 주었습니다. 그리고 퀄컴을 사용하는 법, 트럭스탑을 찾는법, 기름 넣는 법, Paperwork 하는 법, 지도 보는 법 등 많은 것을 차례 차례 가르쳐 주었습니다.

저의 Trainer는 기본적으로 OTR driver이기 때문에 Load가 떨어지면 미국 전역을 다갑니다. 덕분에 Training 기간 동안 몇 주 제외한 대부분의 주를 방문할 수 있었죠!! 이것이 트럭커의 특권이라면 특권이죠!! 돈 받으면서 미국전역을 누비며 구경할 수 있는 특권 말입니다!! 저의 경우에는 로키산맥 넘어있는 캘리포니아와 워싱턴 주 외에 나머지는 다 가 보았던 것 같습니다. 이 드넓은 땅덩어리가 미국의 축복이죠!! 남에서 북까지, 동에서 서까지 다양한 기후대의 생태계가 존재 하더라구요!! 애리조나같은 곳은 달나라 풍경과 유사하죠!! 정말 몇 시간을 달려도 온통 모래언덕, 키작은 잡목 그리고 돌산뿐입니다. 인류가 달나라에 가지 않았다고 믿는 음모론자들은 애리조나에서 달나라 촬영을 했다고 주장하기도 했죠!!

중부지역의 곡창지대에서는 몇 시간을 달려도 허허들판이고, 어떤 지역은 몇 시간을 달려도 불빛을 볼 수 없는 산악지역도 있고 그래요!! 한번은 몇 시간을 밤길을 달리다 저 멀리 불빛이 보이자 나의 Trainer 가 말했습니다. "Wow, Civilization!!" "와!! 문명세계군!!" 때때로 Trainer 는 밤에 자고, 혼자 밤에 차를 몰고 이런 곳을 지나가면 약간 무섭기도 하죠!! 주위는 적막함과 어둠이고, 도로 위를 나만 달리고 있는 거죠!! 공상소설 나오는 것 처럼 어디론가 갑자기 사라지지 않을까 괜한 걱정도 하고 그랬답니다. ㅎㅎ

시간이 지쳐 주말이 되면, Trainer 는 똑같은 모델에 나를 Drop 하고 자기 집으로 갑니다!! 몇 주를 같은 모델에 지내니, 모델 주위에 뭐가 있는지 훤하게 되었죠!! 특히, 중국음식점!! 밥을 먹어야 하니!! 지금도 도시 이름은 기억나지 않지만, 모델 주위의 지리와 풍경은 여전히 뇌리에 남아 있어요!! 아마도 죽을 때 까지 내 뇌리를 떠나지 않을 것 같아요!! 거의 2 달 동안 주말에 거기에 살았으니까요!! 밀린 빨래도 하며 혼자 궁상 맞은 주말을 보냈죠!!

Trainer 가 픽업오면 다시 한 주를 시작하는 거죠!! 한 달 정도 지나니, 이제 거의 팀드라이버처럼 운전을 교대로 하게 되었습니다. 낮에는 Trainer 가 운전하고, 나는 자죠!! 원래 트럭 안의 침대는 2 층으로 되어 있는데, Trainer 가 1 층, 나는 2 층을 사용했습니다. 그런데 상황이 변해서 교대로 운전하다보니 낮에 Trainer 가 운전을 하면 나는 1 층에서 잠을 잡니다. 왜냐하면 차가 움직이면 2 층은 너무 흔들려 잠을 잘 수 없기 때문이죠!! 그래서 할 수 없이 1 층 Trainer 침대를 공유하게 된 것이죠!! "참, 더럽게 시리!!" 그래서 Trainer 이불 위에 내

침낭을 깔고 잤죠!! 처음에 찝찝해서 잠이 잘 오지 않았는데 몇 일 그렇게 지내니, 피곤해서 그냥 자게 되더라고요!! 사람이 그래요!! 그렇게 적응하며 살게 되는 거죠!! 지금 생각하면 어떻게 견뎠는지 모르겠어요!! 아이, 더러워!!

한번은 밤에 Trainer 는 자고 제가 운전하고 있었는데 전방에 사고가 있었는지 앞 차가 갑자기 브레이크를 밟아죠!! 그래서 저도 브레이크를 급하게 밟으니 Trainer 가 자다가 급하게 일어나 소리쳤어요!! "뭐야!! 왜 운전을 이따위로 해!!" 상황설명을 했지만 결국 내가 운전을 잘못한 것처럼 결론이 나더군요!! Damn it!!

어느날은 Hit and Run 를 만나 Side mirror 로 깨먹기도 했죠!! 2차선으로 된 좁은 다리를 통과중 이었는데 맞은 편에서 오던 트럭이 속도를 내고 내려오다 우리 트럭의 사이드 밀러를 치고 그냥 가버렸죠!! 쫓아 갈 수 도 없고 황당했죠!! 다행히 Trainer 가 상황을 잘 보고했고, 트럭스탑에서 사이드 미러를 수리할 수 있었습니다. 중국부페에서 둘이 먹방도 하고, 때때로 싸우기도 했죠!! 그렇게 시간은 제 갈기로 갔습니다. 몇 번의 주말을 테네시에서 더 보내없습니다. 드디어 Training 을 끝낼 때가 다가 왔습니다. Trainer 는 첫날처럼 저녁식사를 대접해 주었습니다.

Training 은 일정시간을 무사히 채우면 끝나는데 Werner 의 경우는 대략 270 시간을 운전해야 했던 것 같습니다. 마침내 Training 마치고 Trainer 와 함께 Atlanta, Georgia 에 있는 Terminal 로 갔습니다. 먼저 Trainer와 함께 Training 평가서에 싸인을 하고, Trainer와 작별을 고했죠!! 시원 99%, 섭섭 1%!! 그리고 마음속으로 소리쳤습니다. "나는 더 이상 노예가 아니다. 나는 자유인이다." "I am not slave any more!! I am a free man!!"

자유인이 되어 첫번째 일은 나의 트럭을 Assignment(배당) 받는 일이었습니다. 트럭을 Assign 받는 일이 시간이 걸려, 회사에서 지정해준 모델에서 2-3일 대기했습니다. 드디어 전화가 왔습니다. 트럭을 받으러 터미널로 오라고 했습니다. 두근거리는 마음으로 나의 트럭을 찾았는데, 대 실망을 했죠!! 왜냐하면 내가 Assign 받은 트럭은 45만 miles 쯤 뛴 똥차(?)였기 때문입니다. Trainer의 트럭이 8-9만 miles을 뛴 트럭이라, 나도 그런 트럭을 Assign 받겠지 하고 생각했죠!! 완전 대실망이었습니다. 나중에 알았는데, 보통 초보에게는 똥차를 할당하고, 시간이 좀 지나야 연식이 얼마 안 된 트럭이나 새차를 할당한다고 하더라고요!! ㅎㅎ 그런데 설상가상으로 내가 받은 똥차가 Trainer가 몰던 Tractor와는 다른 Brand 였어요!! Freightliner로 Training을 했기 때문에 그 트럭은 익숙한데, 내 똥차의 브랜드는 KW(Ken Worth)였습니다. 트럭 앞쪽이 좀 뽀쪽하고, 브랜드도 달라 처음에 적응하느라 좀 애먹었죠!!

트랙터를 Assign 받을 무렵 담당 매니저가 펜실베니아에 있는 Low's Account에서 사람이 필요한데, 관심있는지 물었습니다. 그

때는 어리바리 해서 똥인지 된장인지 모르는 상태에서 Low's Account 에서 일하기로 결정했습니다. 드디어 자유인 Solo 트럭커로서 첫번째 Load 를 받았습니다. 펜실베니아 Pittston 에 있는 Low's Account 쪽으로 나를 보내야하는데, 빈차로 보내시는 거시기 하니까 업스테이트 뉴욕 Load 를 주었습니다.

Atlanta, Georgia 근처에 있는 Pro bass shop load 를 픽업해서 Upstate New York 에 있는 Pro bass shop 까지 배달하는 것이었죠!! 대략 1100 miles 정도라 하루 반에서 이틀을 달려야 하는 Load 였죠!! 혼자서 처음으로 트럭스탑에서 1박을 했고, 트럭용 GPS 도 하나 개비했습니다. 어쨌든, 집이랑 가까워져 간다고 생각하니 기분이 좋았습니다. 첫번째 Load Upstate New York 에 있는 Pro bass shop 딜리버리를 무사히 마쳤습니다. 그곳에서 아이들 선물로 곰돌이 필기구 꽃이를 두개 구입했습니다. 2달만에 집에 들어가는 아빠의 선물이었죠!! 지금도 그 곰들이는 아이들 책상에 웅크리고 있답니다.

첫 Load 를 마치고, 나의 Account 가 있는 펜실베니아 피스톤 (pittston, PA)으로 갔습니다. Account manager 와 디스패처와 인사를 나누었죠!! Account 첫 load 는 뉴저지 이스터 브런스웍(East Brunswick)에 있는 Low's store 에 배달하는 일이었습니다. 이스터 브런스웍은 당시 내가 살던 Highland Park 과는 15-20분 떨어진 도시였죠. Account manager 에게 2달 동안 집에 못갔으니 배달하고 몇 일 집에서 쉬겠다고 했습니다. 왜냐하면 Orientation 때 Training 을 마치면 보통 집에서 며칠 쉴 수 있다고 했기 때문입니다.

Low's store 배달을 마치고, 집에 전화해서 나를 픽업하라고 했습니다. 트랙터 트레일러는 Low's 주차장에 파킹하고, 전화번호를 남겨 두었습니다. 집사람과 아이들이 왔습니다. 2달만에 맞는 이산가족상봉이였죠!! 마침내 2달간 Training을 무사히 마치고, 집으로 돌아온 것이죠!! 집에서 몸무게를 재니 대략 10파운더, 4Kg 정도가 빠졌더러고요!!

지금까지 Application 그리고 Orientation과 Training 과정을 살펴보았는데요!! 다시 한번 5가지를 강조하면 아래와 같습니다.

첫째, 트레이닝 기간에 너무 신경쓰지 말자!! 어떤 사람들은 트레이닝이 가장 짧은 것을 기준으로 회사를 선택합니다. 1-2주에서 7-8까지 트레이닝 기간은 회사마다 다른데요!! 짧으면 짧은 대로, 길면 긴대로 잘 배웠으면 좋겠습니다. 왜냐하면 트레이닝 기간동안 배운 지식이 트럭커의 평생자산이고, 운전습관을 좌우할 수 있기 때문입니다.

둘째, 트레이너와 사이 좋게 지내자!! 앞서 말씀드렸듯이 될 수 있는 한 사이좋게 지내시고, 너무 부당하거나 인종차별적인 것을 하면 말씀드린대로 단계적으로 대응하시면 되겠습니다.

셋째, 처음부터 건강에 유념하면서 트럭일을 했으면 좋겠습니다. 너무 장시간 오래 운전하지 말고, 가끔씩 쉬며, 소변도 보고, 스트레칭도 하고 그러셔야 합니다. 저도 멋모르고 6-7 시간 내리 운전한 적도 있습니다. 1 년쯤 되면 직업병도 하나씩 생기게 될 것입니다. 미리 미리 잘 관리해서 더 건강하시길 바랍니다.

넷째, 정확한 시점은 기억나지 않는데, 오리엔테이션중 아니면, Training 을 마쳤을 때 어떤 일을 할지 정하게 됩니다. 가장 일반적인 것은 OTR 을 일년정도하고, Local 를 들어오는 것인데, 저도 그런 과정이 좋다고 생각합니다. 그런데, 각자의 상황이 다르기 때문에, 본인의 상황에 맞게 잘 선택하면 되겠습니다. 보다 자세한 것은 제 다른 영상을 참조하시길 바랍니다.

다섯번째, Safety First 입니다. 초보에서 1-2 년안에 사고가 가장 많이 발생합니다. Trainer 에게 배운 것을, 자신이 하는 일에 잘 적용해서 자신만의 시스템을 만들어야 합니다. 과정을 단순화하고, 순서화해야 실수를 줄일 수 있습니다.

돌이켜보면 추억이지만 두번 다시는 경험하고 싶지 않습니다. 다 큰 성인 2 명이 하나의 트럭안에서 1-2 달을 같이 생활해야 하니!! 참!! 거시기해요!! 그러나 필수과정이니 어쩔 수 없죠!! 무엇보다 좋은 트레이너를 만나길 기원하고요!! 건강하게 잘 마무리 하시길 바랍니다.

"Freedom is not free!!"

"자유는 공짜가 아니다!!"

12 장 경력직으로 옮기기

　　Training 을 1 달 반을 받았다고 치고, 자신의 Tractor 을 할당 (Assignment)받아서 혼자 1 달 반을 운전하면 경력 3 개월 트럭커가 됩니다. 왜냐하면 Training 기간도 경력에 들어가기 때문이죠. 이제 결정을 해야할 순간이 온 것이죠!! 현재 회사에 잔류하느냐 아니면 다른 회사로 옮기느냐? 그것이 문제인거죠!! 문제의 답은 단순합니다. 좋은 회사로 옮기면 되죠!! 그런데 좋은 회사를 선택하는 것은 그렇게 단순한 과정은 아닙니다. 그래서 경력직으로 옮길 때 고려해야 되는 문제들을 4 가지 즉 옮길 시기, 일의 종류, 자격조건, 좋은 회사 찾기로 나누어 살펴보도록 하겠습니다.

　　첫번째는 옮길 시기입니다. 언제 옮길 것인가? 하는 거죠!! 트럭회사에서 경력직은 보통 3 개월, 6 개월, 1 년, 2 년, 3 년 등등으로 분류됩니다. 그래서 언제 옮길 것인가를 잘 결정해야 합니다. 너무 서두르지 마시고, 각자의 상황에 따라 지혜롭게 결정해야겠죠!! 또한 너무 자주 옮기는 것은 바람직하지 않겠죠!! 왜냐하면 새로운 환경에 적응해야 하고, 제일 낮은 레벨에서 다시 시작해야 하기 때문이죠!! 그리고 너무 자주 옮긴 이력이 있으면 회사에서 별로 좋아하지 않겠죠!! "이 양반 또 옮기는 거 아냐!!" 라고 생각할 수 있으니까요!! 그런데 보통 좋은 회사는 많은 사람들이 이미 취업신청을 하고 대기하고 있습니다. 그러므로 경력 조건이 되면 미리 Apply 해놓고 기다리셔야 합니다. 많은 사람들이 몰리니 칼자루는 회사가 지고 있겠죠!! 언제 연락이 올지 모릅니다.

제 경우를 말씀드리면 Werner에서 트럭일을 시작해서 6개월경력이 되었을 때 JB hunt(regional) Home-depot Account로 옮겼습니다. 여기서 2년정도 재밌게 일했죠!! 그런데 아들이 대학(Princeton university)에 가게 되었고, 기숙사에 머물게 되었는데, 집사람이 제가 매일 집에 들어오면 좋겠다고 해서 JB hunt 안에서 Local Account로 옮겼습니다. 그런데 이곳에서 예상치 못한 문제가 발생했는데, 매주 Payroll이 정확하지 않다는 것이었죠!! 한 두 주도 아니고 거의 몇 달을 거의 매주 문제가 발생했고, 매니저에게 말했지만 별로 나아지지 않아 스트레스가 만땅(?)이었죠!! 그런데 어느날 어떤 회사에 pick up 갔는데 옆에 OD Driver가 있었죠!! 별 생각 없이 시급을 얼마 받는지, 터미널에 위치가 어디에 있는지 물어보았죠!! 5년전 Entry level 시급이 $26.00 이라고 말하더군요!! 터미널도 제집과 10분 거리에 있어 신청하게 되었죠!! 그런데 OD에서 연락이 바로 오지 않았어요!! 그래서 그냥 잊고 있었는데 몇 달 뒤에 연락이 오더라고요!! 그래서 인터뷰하고 지금까지 OD P&D 드라이버로 일하게 된 것이죠!!

두번째는 중장거리(Regional, OTR)와 단거리(Local) 중에 어떤 종류의 일을 할 것인가?의 문제입니다. 보통의 경우 Training은 OTR에서 많이 받죠!! 이제 회사를 옮길 때 OTR, Regional, Local 중에 하나를 각자의 상황에 따라 선택을 해야겠죠!! 그런데 선택은 그렇게 쉽지 않습니다. 왜냐하면 중장거리와 단거리 즉 Regional, OTR 과 Local 은 서로 다른 특징과 장단점이 있기 때문이죠!! 저는 개인적으로 5년 정도를 중장거리를 했었고요!! 지금은 로컬에서 6년차로 일하고 있습니다. 먼저, 용어정리부터 할 필요가 있는데요!! 왜냐하면 드라이버의 종류는 다양하고, 그래서 작업환경과 작업방식, 페이등이 약간식 다르기 때문입니다. 그래서 좀 Detail 한 것은 경험하지 않으면 서로 몰라요!! 저도 장거리할 때 Local 트럭커가 어떻게 일하는지 전혀 몰랐습니다.

먼저, 중장거리를 보면, 보통 OTR(over the road)이라고 부르는데, 미국전역을 다니며 Trucking 하는데, OTR 를 보통 장거리하고 말하죠!! 그런데 중거리는 보통 Regional 이라 부르는데, 미국전역이라 아니라 일정 권역을 돌며 Trucking 을 하는 부류인데, 예를 들면 North East 이면, 미국에서도 북동부쪽을 주로 다니게 되는 거죠!! 이런 중장거리들은 보통 5 days out, 2 days in 이 가장 일반적이고요!! 회사와 Driver 에 따라서 2주동안 밖에 있다가 4일 혹은 3일 집에서 쉬는 사람도 있고, 4 days out, 3 day in 도 있고, 몇 가지로 분류할 수 있습니다.

단거리는 보통 Local 이라고 부르는데, P&D driver 혹은 City driver 이라고 하죠!! 가장 중요한 특징은 **출퇴근**한다는 것이죠!! Local

은 장거리보다 좀 복잡한 것 같아요!! 예를 들어 출퇴근하는 Local 인데, 장거리 뛰는 Linehaul driver 도 있고, 출퇴근 하면서 장거리로 Dedicated 하는 driver 도 있고, 야간 운전하는 driver 도 있어요!! 그리고 Port 에서 Trailer 를 받아 배달하는 Port driver 도 있고, 잘은 모르지만 중거리 300-400 정도 운전하는 driver 도 있고, 경우의 수가 많아요!! 그래서 그냥 대충 간단하게 장거리는 하루에 600 mile 전후로 뛰고 5 days out, 2 days in 이라고 생각하고, 단거리는 하루에 100-150mile 전후로 뛰며 출퇴근하는 드라이버정도라 생각하면 좋겠습니다. 그러면 이제 중장거리와 단거리(Regional, OTR VS Local)의 특징과 장단점을 8 가지 항목: 운전, 일의 종류, 수입, 직업병, 주차, 숙식, 일하는 시간, 일감으로 구체적으로 검토해 보는 시간을 가져보겠습니다.

첫번째, 운전에 관해 살펴보면 양자는 상당히 다른 특징과 장단점을 가지고 있습니다. 기본적으로 중장거리는 주로 고속도로를 오래 달리기 때문에 운전스타일이 단순합니다. 고속도로에서 주로 Cruise 기능을 작동시켜 달리죠!! 단점은 장시간 운전을 한다는 것이죠!! 이론상 하루에 11 시간을 운전할 수 있습니다. 그럼 중장거리 트럭커가 하루에 최대한으로 달릴 수 있는 거리는 어느정도 될까요? 이론상으로 대략 시속 65mph 로 달릴 경우, 650+65=715 mile 이 되겠네요!! 그런데, 실제로는 트래픽, 로컬을 갈 때도 있고, 대략 550 mile 전후가 현실적 일 것 같아요!! 그리고 고속도로에서 빠르게 운전을 하다보니 사고가 나면 대형사고로 이어질 수 있다는 점은 단점이 되겠네요!!

Local은 좀 다르죠!! 고속도로도 타지만, 지방도로를 많이 타고, 골목 골목까지 운전하죠!! 그러니 중장거리보다 운전기술이 필요하고, 그래서 보통 초보자는 Local에서 뽑지 않습니다. 그래서 OTR 일년정도하고 Local로 오는 것이 일반적이죠!! 그럼 로컬은 하루에 어느정도 운전을 할까요? 로칼 트럭커의 다양해서, 제 경우를 말씀드리면, 대략 하루에 3시간 전후, 150 mile 전후를 운전하는 것 같습니다. 로칼이 고속도로보다 복잡하다보니 접촉사고가 발생할 확률은 더 높겠죠!! 운전스타일이 약간 다르지만, 일반적으로 말해서, 같은 경력이면 로칼 트럭커가 운전을 더 잘하지 않을까 생각합니다. 왜냐하면 골목 골목을 다녀야 하고, 하루에게 자주 Dock에 주차를 해야하기 때문이죠!!

두번째는 일인데요!! 중장거리와 로컬이 어떤 일을 어떻게 하는지 살펴보죠!! 기본적으로 물건을 Pick up하고 Delivery를 하죠!! 그런데 방식이 좀 다릅니다. 장거리는 운전 만큼 비교적 단순한 일을 합니다. 보통 하루에 1-2개, 하루에 한 건, 혹은 며칠에 한 건 이렇게 일하죠!! 따라서 Paperwork도 비교적 단순합니다. 물건을 카운터하거나 터치할 필요도 없습니다. 그런데 단거리는 경우의 수가 많은데, 제 경우을 보면 보통 딜리버리와 픽업을 합쳐 6건 전후로 하는 것 같습니다. 예를 들면 딜리버리를 보통 먼저하고, Pick up를 하는데, 딜리버리 2개, 픽업 4개 뭐 이런 식으로 일하죠!! 정말 바쁠 때는 10

건까지 합니다.

　　장거리는 회사와 컨택(Contact)할 일이 별로 없죠!! 디스패치가 크게 푸시(Push)하지도 않죠!! 그런데 단거리는 장거리보다 기본적으로 간섭이 좀 더 있는 것 같습니다. 바쁠 때는 전화해서 쪼우기(?)도 합니다. 그런데 그렇게 많이 쪼우지는 않아요!! 저도 카더라 통신에 따라 회사에 엄청 쪼아서 Local은 스트레스 만땅(?)이라고 듣고, 옮길 때 걱정 많이 했는데, 생각보다 괜찮은 환경이예요!! 물량이 어느 정도 정해져 있고, 그것에 맞춰 운전자가 있기 때문에 평소에는 괜찮아요!! 정말 바쁠 때는 가끔 전화해서 빨리 움직여라!! 물어봐! 등 성가시게 하곤 하는데, 일반적인 경우는 스스로 알아서 어느정도(10-20분) 쉬고 움직이면 문제 없습니다.

　　얼마나 많은 양의 일을 하는가를 보면, 꼭 정해진 것은 아니지만 기본적으로 장거리 OTR이 일을 더 많이 하는 것 같습니다. 저의 경우에는 중장거리할 때 보통 하루에 13시간에서 13시간 반 정도를 일했어요!! 지금 로컬에서는 평균 10-11시간 정도 일하고 있습니다.

　　세번째는 수입인데요!! 1부에 장거리와 단거리의 수입을 살펴보았으니 참고하시고요!! 다시 간단히 정리하면, OTR은 대부분 마일당(CPM)으로 받고, Local은 시간당(RPH)으로 페이를 받습니다. 그래서 서로를 비교하려면 OTR를 시간당 페이로 대충 환산하면 됩니다. 보다 구체적인 것은 1부를 참고하세요!! 제 경험상 양자가 동일하게 10 시간 일을 했다고 가정하면 단거리의 시간당 Pay 가 조금 더 번다고 할 수 있습니다. 그런데 문제는 시간당으론 Local 이 많지만, 일을 하는 시간의 양에서는 중장거리 보통 많기 때문에 총액으로 보면 장거리가 단거리와 비슷하거나, 더 많이 벌 수도 있다는 것이죠!! 그래서 수입측면에서도 쉽지 않는 결정이 될 수 있습니다. 왜냐하면 절대적인 수입으로 가면 장거리가 더 버는 것 같고, 상대적인 수입으로 가면 단거리 로컬이 낫기 때문입니다. 답은 자신의 상황에 따라 **잘** 선택하면 되겠습니다.

네번째로 양자의 직업병에 대해 살펴보죠!! 약간 다른 측면이 있어요!! 먼저, 장거리는 장시간 운전을 하기 때문에 오래 앉아 있어서 허리와 전립선, 관절 등에 문제가 발생할 수 있습니다. 저도 뭣 모를 초보 때 6시간 내리 운전한 적도 있어요!! 중장거리의 가장 큰 스트레스는 트래픽에 걸리는 거죠!! 몸도 마음도 힘들죠!! 클러치를 자주 밟아야 하니 다리가 아프고, 장거리는 달려야 돈을 버는데, 사고나 출퇴근 때문에 막히면 스트레스 엄청납니다. 심신이 다 괴롭습니다. 그런데 주로 시간당 페이를 받는 Local 은 정말 자유롭습니다. ㅎㅎ 이 점이 제가 로컬로 옮기고 가장 크게 변화된 부분이죠!! ㅎㅎ 트래픽, 막힐테면 막혀라!! 그래도 시간은 간다!! 야후!! ㅎㅎ

Local 은 운전시간은 길지 않지만, 클러치를 많이 사용하고, 트래픽사인등 여러가지로 자주 멈추고, 내리고 오르고 해야 하기 때문에 무릎과 장딴지에 문제가 발생할 확률이 높죠!! 네, 반대로 트래픽같은 스트레스는 없지만 회사나 고객들을 더 접촉하기 때문에 대인관계에서 오는 스트레스가 좀 있는 편이죠!! 예를 들면, 회사에서 빨라 움직이라고 전화오기도 하고!! 때때로 고객과 싸우기도 하고 그렇죠!! 이건 덤으로!! 운전할 때 친업자세(손바닥이 하늘방향으로)로 핸들을 잡는 것이 어깨에 부담이 덜 되는 것 같습니다. 참고하세요!!

다섯번째로 트랙터 트레일러를 주차하는 문제를 검토하면!! 많이 다르죠!! 먼저, 중장거리 드라이버는 기본적으로 트럭스탑에 주차를 하죠!! 그런데 문제는 트럭스탑에서 주차할 공간을 찾기가 쉽지 않다는 거죠!! 그래서 중장거리 트럭커들은 썩은 고기를 찾아 두리번거리는 하이에나처럼 주차공간을 찾으려 여기저기 트럭스탑을 전전하게 돼죠!! 그러다가 운전을 할 수 없는 시간이 되면 급하게 아무 길가에서 주차하고, 불안에 떨며 잠자기도 하죠!! Local은 대부분 터미널에 트랙터 트레일러를 주차하게 됩니다. 그래서 일반 직장인과 똑같이 출퇴근하면서 일할 수 있는 거죠!!

여섯째로 숙식의 문제를 살펴보면, 중장거리는 기본적으로 집에 가기 전까지 트럭에서 자죠!! 처음에는 약간 비좁은 감이 있지만, 생활하다보면 적응됩니다!! 트럭의 실내가 여름에는 에어컨, 겨울에는 난방기 때문에 약간 건조해지기 때문에 자기 전에 물을 좀 뿌리고 자면 좋습니다. Local은 집에서 알아서 자면 되죠!! 먹거리가 트럭커의 가장 큰 고충 중에 하나죠!! 특히 중장거리는 본인이 먹을 것을 준비하지 않으면 3끼 모두 패스트 푸드를 먹게 되겠죠!! 정말 진저리납니다.

그런데, 반대의 상황도 기대할 수 있습니다. 특별히 오너 오퍼레이터처럼 자기트럭에 냉장고와 마이크로 웨이브를 설치하면 어쩌면 더 잘 먹을 수도 있습니다. 제가 JB hunt에서 중장거리할 때는 큰 아이스박스에 물을 얼린 것을 밑에 8개 깔고, 그 뒤에 김치와 밑반찬 몇 개 가지고 다녔습니다. 보통 1-2정도는 괜찮은 것 같아요!! 그러니 첫날 둘째날 보통 먹어 치웠죠!! 보통 햇반, 참치 통조림, 반찬 통조림, 컵라면 이런 것들을 들고 나가죠!! 그래서 보통 하루 세끼 중 아침은 커피 한잔 빵하나!! 점심은 패스트 푸드, 저녁을 한식 위주로 먹었죠!! 한식이라 해바야!! 햇반에 컵라면 김치 혹은 통조림 밑반찬, 김 등을 먹는 정도죠!! 그리고 트럭스탑에서 삶은 계란을 파는데, 저는 컵라면에 넣어서 먹었는데 괜찮은 방법인 것 같습니다. 치킨도 가끔 사먹고요!! 그러다 가끔 운수 좋은 날 차이니스 푸드나 몰에 있는 다른 음식을 먹을 수 있죠!! OTR은 기본적으로 53 feet 트레일러를 끌고 다니기 때문에 몰이나 식당이 있는 곳에 접근하는 것이 쉽지 않습니다.

Local에서 일을 하면 당연히 중장거리보다는 괜찮겠지만 만만치 않아요!! Local에서는 일을 시작하는 시간이 변수이고 중요합니다. 예를 들어, 이전에 JB hunt를 다닐 때는 아침 6-7에 일을 시작해서 12-1에 패스푸트로 점심을 해결하고, 보통 6시 전후로 퇴근하면 집에서 한식으로, 비빔밥 재료를 사서 많이 비벼먹었죠!! 그런데 지금 Old Dominion에서는 9시에 일을 시작하다보니, 어정쩡해서 저녁까지 먹고 들어가는 경우도 많습니다. 한끼는 도시락으로 해결하려고 노력중이고 다른 한끼는 사먹고 있습니다.

Local 에서 일하니 장거리보다는 피자 혹은 차이니스 food 에 접근하기 쉽죠!! 그리고 회사근처에 한아름 H Mart 가 있어서 조건에 되면 일주일에 한번 정도는 한아름에서 김치찌개를 사먹을 수 있는 기회도 있답니다.

일곱번째로 일하는 시간를 보면 양자가 좀 다릅니다. 일반적으로 중장거리는 본인이 일하는 시간을 정할 수 있죠!! 보통 출퇴근 시간을 피하고, 트럭스탑에 빨리 들어가 주차할 수 있는 시간대를 선호합니다. 그래서 어떤 사람은 새벽 4-5 시 일을 시작해서 5-6 시에 일을 마치는 사람도 있고, 어떤 사람은 약간 늦게 9 에 시작해서 저녁 10 쯤에 일을 마치거나, 아니면 그 중간정도에서 일하는 사람도 있는데 방점은 본인이 일을 하는 시간과 마치는 시간을 정할 수 있다는 것이죠!! 그런데 Local 은 보통 일을 시작하는 시간을 회사에서 결정합니다. 몇 시에 출근해서 일을 시작하는 것이 일정하죠!! 예를 들어 우리 회사 Old Dominion 는 새벽 5 시에 일을 시작하는 사람들이 있고, 정오 12 에 일을 시작하는 사람도 있어요!! 그래서 마치는 시간은 시작하는 시간과 하루의 물량에 따라 달라지게 되는 거죠!!

여덟번째로 살펴볼 것은 일감에 관한 것인데요!! 장거리는 주로 Bulk, 대용량을 많이 운반하죠!! 여러개를 픽업하는 것이 아니라 보통 한 회사에서 대용량을 픽업해서 다른 곳으로 운반하는 거죠!! 그러니까, Shipper 들이 알아서 물건을 싣고, Seal 를 달아 줍니다. 운전자는 그것을 그대로 목적지에 배달하면 되는 거죠!!

그런데, 단거리는 지역의 여러회사를 돌며 이것 저것, 1 파렛 (Pallet) 혹은 몇 파렛, 물론 때때로 24 파렛을 픽업하거나 딜리버리를 하게 됩니다. 그래서 보통 물건을 픽업할 때 몇 파렛인지 카운터하고, Pro#를 붙이고, Paperwork 를 합니다. 딜리버리 할 때도 비슷한데 물건을 카운터하고, Paper 에 수취인의 싸인을 받게 됩니다. 이런 일들 하다 보면 종종 서로 싸우는 일도 발생하게 됩니다.

가장 대표적인 것이 물건을 카운팅할 때 발생하는데 보통은 파렛으로 카운터하는데, 어떤 회사는 Box(Case)를 카운터하고 Paper 에 몇 박스를 Pick up 했는지 적어라 요구합니다. 물건이 규칙적이면 문제는 간단한데, 불규칙인 물건이 더 섞여 있으면 카운팅하기 거의 불가능합니다. 그래서 물건을 해체하고 다시 쌓으며 카운팅해야 하는데, 문제는 누가 물건을 해체하고, 다시 쌓느냐!! 하는 거죠!! 트럭커 입장에는 보면 당연히 Shipper 가 해야 하는데 어떤 곳은 운전자가 해야한다고 우기는 거죠!! 그러면 서로 "That's not my job!!" 이런 식으로 싸우게 되는 경우가 왕왕 발생합니다.

경력직으로 회사를 옮길 때 이상의 8가지 항목들을 잘 이해하고, 본인의 상황에 잘 맞는 트럭일을 선택하면 되겠습니다. 당연히 모든 것을 만족시키는 일은 없죠!! 그러니까 다윈의 진화론처럼 최고의 선은 최고의 회사가 아니라 나에게 가장 적합한 회사가 될 것입니다.

세번째 고려사항은 입사를 위한 자격조건(Qualification

입니다. 회사마다 요구하는 조건이 조금씩 다릅니다. 본인이 각 회사의 웹사이트에서 구체적인 정보를 확인해야 합니다. 먼저 당연히 Class A 라이센스가 있어야겠죠!! Experience level은 경력을 말하는데 "Experience level: 6 months"라고 하면 경력이 6개월 이상 되어야 취업신청을 할 수 있다는 말이 되겠죠!! 그리고 어떤 회사는 HME(위험물운송허가증)의 소지 여부를 자격조건에 포함하기도 합니다. 다시 말해 해즈맷 Endorsement이 없으면 안된다는 말이죠!! 일단 취업신청을 위해 특정회사의 웹사이트에 가면 Qualification을 비롯해서 많은 정보가 있습니다. 예를 들어, 그 회사 Account 운전자의 평균연봉이 얼마인지, 어떻게 일을 하는지(5 days out, 2 days in), 어디에서, 어떤 일을 주로 하는지 등 말입니다. 그러므로 경력직으로 옮길 때 관심있는 회사에서 Job Application을 넣을 때 반드시 기본정보들을 먼저 확인하시길 바랍니다. 보다 자세한 내용은 제 영상 미국 트럭커의 모든 것#5.2 참고하시면 좋겠습니다.

　　　네번째 고려사항은 좋은 회사를 찾는 방법입니다. 혹시 미국에 Trucking Company가 몇 개쯤 되는지 아시는지요? 네, 대략 100 만개가 넘는데 그중에서 95%가 10명 미만의의 영세업자이고, 그 나머지 5%가 중대형 Major Company입니다. 물론 대형회사라고 무조건 좋은 것은 아니지만 기본적인 시스템이 갖추어져 있다고 볼 수 있습니다. 다시 말해 Pay, 베네핏, 안전문제, 일 환경 등이 안정적일 수 있다는 뜻이죠!!

　　그럼, 중대형 Major Company 중에 무엇을 기준으로 회사를 선택해야 할까요? 단순히 pay 만 보고 결정할 것이 아니라 기타 여러가지, 이를 테면 평균 몇 시간 일하는지?, Overtime 은 몇시간 기준인지?, Entry level 에서 Top level 까지 걸리는 시간이 얼마나 되는지?, 각종 베네핏, 401K, Medical, Detention time 등은 어떤지? 을 종합적으로 검토해야만 더 좋은 회사를 선택할 수 있다는 것입니다. 그런데 이것들을 알기는 쉽지 않습니다. 왜냐하면 공개된 정보도 있지만 대부분 비공개으로 잘 알 수 없기 때문입니다. 그런데 이 문제를 해결할 수 있는 가장 좋은 방법 있는데 그것은 트럭스탑에서 만날 수 있는 특정회사에 근무하는 트럭커에게 직접 물어보는 것이죠!!

　　그럼 예를 들어 두 가지 경우를 생각해 봅시다. 첫째, 평균 몇 시간을 일할 수 있는가?를 구체적으로 물어보는 것이죠!! A 라는 회사는 시간당페이 $30 불인데 하루 평균 8-9 시간 정도 일합니다. 그리고 B 라는 회사는 시간당페이가 $28 불인데 하루 평균 10-11 시간 일할 수 있어요!! 여러분은 두 회사 중 어떤 회사를 선택하시겠습니까? 실제 현장에서 많이 발생하는 경우의 수입니다!! 물론 선택은 개인의 결단이지만 이런 차이가 있다는 사실을 알아야 한다는 것입니다.

　　두번째는 Overtime 에 대한 것을 살펴보면, 회사마다 다르다는 것이죠!! 예를 들어 제가 알기론 Fedex 는 40 시간 이후, Saia 는 45 시간, 우리회사 OD 는 50 시간 이후에 Overtime 이 적용됩니다.

Overtime은 본인의 시급에 1.5배를 받기 때문에 큰 차이가 날 수 있습니다. 두 가지의 예처럼 보다 구체적인 정보를 알 수 있다면 보다 나은 회사를 선택하는데 도움이 될 것입니다.

3 부: 초보트럭커로 살아남기

13 장 안전제일(Safety First)

14 장 트랙터(Tractor)에 관하여

15 장 트럭커와 건강

16 장 Log(일정)관리

17 장 Paperwork(서류작업)

18 장 HME(위험물 운반 허가증)의 모든 것

19 장 먹거리와 잠자리

20 장 Truck Stop 이용하기

21 장 안전하게 운전하는 방법

22 장 회사와의 관계(디스패치와 매니저)

23 장 트럭킹 영어(Trucking English)

24 장 Benefit 이해하기: 주급, 의료보험, 401K, 유급휴가(PTO)

25 장 무게 검사소(Weigh Station) 들고 나기

26 장 트럭이 고장/사고 났을 때 대처하는 법

13장 Safety first(안전제일)

CDL A 라이센스를 따고, 회사에서 트레이닝을 받고, 본인의 트랙터를 할당받으면, 비로소 초보 트럭커의 삶이 시작됩니다. 초보 트럭커로 살아남기 위해서 가장 중요한 것이 바로 안전사고 예방할 수 있는데 경험적으로 볼 때 대부분의 안전사고는 라이센스를 따고 1-2년 안에 제일 많이 발생하는 것 같아요!! 왜냐하면 이제 뭐 좀 알고, 운전도 좀 한다고 생각지만 아직 몸에 완전히 배이지 않았기 때문입니다.

안전사고는 트럭일중에 발생하는 모든 사고를 말하는데 가장 중요한 것은 그것을 예방하는 일입니다. 그래서 안전사고 예방을 위해 3가지 영역으로 나누어 무엇을 조심해야 하는지 살펴보겠습니다. 첫째는 Pre-Trip Inspection(출발전 검사)이고, 둘째는 운전중 주의사항이고, 셋째는 파킹장 즉 웨어하우스에 도착해서 조심해야하는 것들입니다.

13.1 Pre-trip 시 점검해야 할 것

Pre-trip은 트럭커가 하루를 시작하면서 하는, 해야하는 첫번째 일입니다. Pre-trip에 대해서는 CDL A 라이센스를 딸 때 공부하고 시험도 쳐야하고, 또한 Training 과정에서 Trainer에게도 배우게 됩니다. 그렇지만 어떤 측면에서는 의무적으로 아무 생각없이 습관적으로 하는 경우가 많습니다. 저도 예외는 아닙니다. 그러면 아니되옵니다. Pre-trip은 운전자의 생명을 이 차량에 맡겨도 되는지 확인하는 과정입니다. 그러므로 정성을 다해야 합니다. 어차피 시간은 5분 안팎 입니다. 자신만의 스타일로 점검하는 순서를 루틴화하는 것이 좋습니다. 왜냐하면 그래야만 깜빡하고 놓치는 일을 예방할 수 있기 때문입니다. 트랙터와 트레일러 전체를 머리에 그려보면서 중요 파트를 한번 생각해 보겠습니다.

*헤드라이트와 비상등

먼저 Pre-trip을 시작하기전에 둘 다 켜 놓아야 합니다. 헤드라이트와 비상등은 안전에 중요한 부분이고, 특별히 Weigh Station에 들어가기전에 둘 다 켜야합니다. 문제가 있으면 티켓을 받게 되겠죠!! 그리고 가능한 한 여분의 헤드라이트와 소형 라이트 벌브 (Bulb)를 준비하는게 좋습니다. 왜냐하면 문제가 발생하면 스스로 즉시 교체할 수 있기 때문입니다. 교체하는 법은 아시죠? 모른다고요!! 세상일이 다 그렇듯 알면 쉽고 모르면 깜깜하죠!! 배우면 누구나 쉽게 교체할 수 있습니다.

*Air line & Fifth Wheel 연결 확인하기

Air line은 육안으로 잘 연결되었는지 확인하면 됩니다. Air line의 연결부분에 고무패킹이 들어가는데, 이것도 여분으로 준비해 두는 것이 좋습니다. 왜냐하면 간혹 이것이 낡아 에어(Air)가 새는

경우도 종종 발생하기 때문입니다. 그럴 경우 스스로 교체하면 됩니다.

Fifth Wheel 를 제대로 연결하지 못하면 심각한 안전사고가 발생할 수 있으니 확실하고 꼼꼼하게 체크할 필요가 있습니다. 일단 트럭을 후진해서 트레일러와 커플링(Coupling)을 하면 터그 테스트 (Tug test)를 반드시 해야 합니다. 그래야만 일차적으로 트럭과 트레일러가 잘 결합되었다는 것을 알 수 있습니다. Tug test 는 트랙터와 트레일러가 결합 된 상태에서 트랙터의 parking brake(노란색)을 open 하고 악셀을 살짝 밟아 트랙터를 전진시키는 행위입니다. 다시 말해서 트레일러를 고정시켜 놓고 트랙터로 그것을 끌면서 트랙터와 트레일러가 잘 커플링되었는지 확인하는 방법입니다. 이 Tug test 는 실무에서 매일 아침에 하는 일상입니다. 특별히 Local 에서 일하는 트럭커는 하루에도 몇 번을 하게 됩니다.

Tug test 를 했다면, 이제 트레일러와 fifth wheel 사이에 틈이 있는지 없는지 확인하고, 앞쪽 valve 와 손잡이가 제대로 들어갔는지 확인하면 됩니다. 그리고 가장 이상적인 것은 Kingpin 이 잘 물렸는지 전등을 비추어 확인하는 것입니다. 종종 결합이 잘못되어 안전사고가 발생하니 주의를 가지고 체크하시길 바랍니다. 백문불여일견(百聞不 如一見)이니 이것에 관한 제 영상 미국 트럭커의 모든 것#111 편을 참고하면 좋겠습니다.

*Tire 체크

가장 이상적인 방법은 압력 게이지를 이용해서 PSI 압력을 재는 것인데, 18개 Tire 모두를 매일 체크하는 것은 현실적이지 않은 것 같습니다. 제 생각에는 육안으로 마모정도와 바람이 빠졌는지 체크해도 된다고 생각합니다. 왜냐하면 차량의 하중 때문에 바람이 많이 빠지면 육안으로 포착할 수 있기 때문입니다. 발로 차거나 망치로 때리는 트럭커를 종종 보는데 육안으로 자세하게 보는 것과 큰 차이는 없을 것입니다. 왜냐하면 조금의 차이는 어차피 그것으로 알 수 없기 때문입니다. 상하차시간에 시간적 여유가 있을 때 압력게이지를 이용해 체크해 보는 것도 좋을 것 같습니다.

*트레일러 뒷문 확인하기

문이 잘 잠겼는지 확인하고 특별히 Swing Door의 경우 윗쪽이 잘 시건되었는지 확인해야 합니다. 그리고 뒷문 윗쪽 작은 등들이 켜져 있는지 체크해야 하겠죠!! 트레일러 번호판 등도 켜져 있는지 체크해야 합니다. 그리고 자물쇠로 시건하는 것을 잊지 말아야 합니다. 혹시 모를 도난사고를 방지하지 위해 잠금장치를 하는 것이 좋습니다.

자신의 안전을 위해서 Pre-Trip을 규칙적으로 하는 습관을 만들어야 합니다. 자신만의 절차와 체크 리스트를 만들어 매일 출발전 5분정도 투자하면 안전사고를 예방할 수 있습니다. 5분 투자로 생명을 살리는 현명한 투자자가 되시길 바랍니다.

13.2 운전 중 주의사항

많은 안전사고 중 가장 위험한 안전사고는 운전중에 발생합니다. 많은 경우의 수가 있겠지만 대략 5가지로 운전 중 발생할 수 있는 안전사고를 알아보도록 하겠습니다.

첫째, 졸음운전인데, 안전사고에 가장 위험한 적이라 할 수 있습니다. 생리적 현상으로 근본적으로 예방하거나, 없애는 방법은 없는 것 같습니다. 차선책으로 2가지를 최대한 노력해야 합니다. 먼저 예방책으로 미리 충분히 자는 것입니다. 몸이 피곤할 때 졸음운전이 발생할 확률이 높겠죠!! 그러므로 가능한 한 규칙적으로 충분히 수면을 취하는 것이 가장 좋은 방법이 되겠습니다. 둘째, 일단 졸음이 오면 초기에 정말 확실하게 대처해야 합니다. 정말 졸리면, 트럭을 안전한 갓길에 대고 잠시 자던지, 아니면 처음부터 확실하게 깨어야 합니다. 예를 들면, 스스로 뺨때리기, 라디오 볼륨을 높이고, 몸 움직이기, 노래하기 등, 자신만의 방법을 찾아야 합니다. 왜냐하면 멍하니 가만히 있을 때 차의 규칙적인 진동으로 졸음이 잘 오기 때문입니다. 운전을 하다보면 어쩌구니 없는 대형형사고들을 종종 목격합니다. 대부분의 사고는 졸음운전이 원인 아닐까 생각합니다. 예를 들어 고속도로에서 앞차를 쳐박은 차량을 보았는데, 도로 옆길에 경찰이 흰천으로 운전자를 덮어 놓은 것을 본적도 있습니다. 기분이 정말 찝찝하죠!! 고속으로 주행하다 몇 초 깜빡하면 바로 갑니다. 그러므로 정말 초기대응을 확실하게 해야합니다. 확실하게!!

둘째, 운전중 다른 동물 때문에 사고가 나는 경우도 있습니다. 그래서 전방을 잘 주시하고, 도로 주변에 곰, 사슴, 새 등이 얼쩡거리면 경적을 크게 울려 녀석들을 놀래켜 도망가게 해야 합니다. 일단 짐승들과 충돌하게 되면 거의 본능적으로 핸들을 꺾는 경우가 많은데 매우 위험한 행동이 될 수 있습니다.

특히 사슴은 도로 숲에서 그냥 직선으로 내 달립니다. 저도 거의 충돌할 것 같아 급하게 브레이크를 밟았던 기억이 있습니다. 미국에는 곰들도 자주 보게 되는데요!! 산속을 통과하는 고속도로에서 주로 보게 되는데, 이놈들이 간혹 고속도로를 가로질러 이동할 때가 있는데, 특히 어린 곰들은 경험도 없고, 우물쭈물하다 사고가 많이 나는 것 같습니다. 저도 5번 정도 차량에 희생된 곰의 사체를 본 적이 있습니다. 그리고 도로 갓길에 새들이 앉아 있다가 트럭이 지나가면 놀래서 날다 트럭에 부딪쳐 죽는 경우도 많습니다. 저도 2-3번 그런 경험이 있는데, 한번은 트럭의 정면 라디에이터에 충돌해서 새가 꽂혀버린 경험도 있었습니다. 그래서 곰, 사슴, 새등이 전방에 발견되면 속도를 줄이고, 경적을 크게 울려 환기시켜야 합니다.

셋째, 여름철 바캉스 차량이나 U-hall 차량 뒤를 따라가면 안됩니다. 여름철 바캉스 차량을 따라가지 말라는 것은 회사의 안전교육 비디오 자료의 단골메뉴입니다. 왜냐하면 여름철 바캉스 운전자들은 들떠있고, 평소보다 장거리를 운전을 하고, 특히 차량지붕이나 뒷쪽에 자전거를 실고 가는데, 그것들을 안전하게 묶지 않기 때문입니다. 저도 자전거 떨어져 사고가 나는 장면을 직접 목격한 적도 있습니다. 자전가가 뒤따라가던 차량 밑으로 들어가 사고가 났던 케이스였는데요!! 당시 속도가 그렇게 높지 않아서 다행이었지만, 만약 속도가 높은데서 이런 사고가 나면 대형사고로 이어지겠죠!!

그리고 U-hall 차량을 모는 운전자는 전문 트럭커 아닐 확률이 높겠습니다. 그냥 U-hall 차량을 빌려 이사가는 사람들이 많기 때문에 초보 트럭 운전자라고 보면 됩니다. 그래서 가능한 한 이런 차량의 뒤를 따라가거나, 옆에 나란히 가는 것을 피하는 것이 상책이라고 생각합니다. 똥이 무서운게 아니라 더러워서 피하는 것 처럼 사고도 무조건 피하는게 장탱입니다.

네번째, 다른 차량과 나란히(Parallel) 가는 것을 가능한 피하는 것이 좋습니다. 차들이 많아서 어쩔 수 없는 경우 말고는가능한 한 다른 차량과 나란히 가는 것은 피하는 것이 좋습니다. 특별히 비올 때, 바람이 많이 불 때 더욱 그렇습니다. 조금만 부주의하거나, 미끌리거나, 바람에 밀리면 대형사고로 이어질 수 있습니다. 그러므로 비올 때, 바람이 많이 불 때는 기본적으로 추월을 하는 않는 것이 좋습니다.

다섯번째, 운전중 다른 것으로 방해되지 않도록 해야합니다. 운전중 먹기, 운전중 전화하기, 운전중 라디오 조작하기 등으로 전방을 주시하는 것을 놓쳐서는 안됩니다. 대부분의 사고가 이런 것으로 발생합니다. 잠시 잠깐, 다른 것에 신경에 팔려 전방주시를 놓칠 때 발생하는 거죠!! 저의 경우는 운전중 전화를 걸거나, 받지 않는 것을 99.99% 실행하고 있습니다. 대부분은 걸거나 받지 않으며, 급한 것은 갓길에 정차한 후 전화를 걸거나, 받습니다. 개인적으로 무선 헤드셋을 좋아하지 않아 사용하지 않습니다. 어떤 연구자료에 의하면 무선헤드셋으로 전화통화하는 것도 안전운전에 방해가 된다고 합니다.

운전중 발생할 수 있는 안전문제에 대해 5가지로 살펴보았는데요!! 너무 당연해서 거론하지 않았지만 어쩌면 가장 중요한 예방책 하나를 덧붙이면 바로 "과속"입니다. 이런 말이 있죠!! "5분 빨리 가려다 영원히 먼저 간다!!"

13.3 웨어하우스(Warehouse)에서 파킹할 때

도로에서 운전 중 사고가 나면 대형사고가 나지만 대부분의 안전사고는 웨어하우스안에서 파킹을 할 때 발생합니다. 대부분의 경우 접촉사고가 많지만 인명사고도 발생할 수 있으니 각별히 주의를 해야겠죠!! 몇 가지 주의점을 구체적으로 살펴보면 아래와 같습니다.

*모든 작업시 가죽장갑을 끼고 하자!!

웨어하우스 안에서 상하차 작업을 할 때 항상 가죽장갑을 착용하고 작업해야 안전사고를 예방하라 수 있습니다. 트럭과 트레일러의 부분중에 뾰쪽한 부분들도 많고, 기름과 쇳가루 등에 노출되기 쉽습니다. 제가 실수한 예를 들면, 한번은 에어라인을 연결하다 중심이 살짝 놓쳐 쇠판을 손바닥을 짚었는데 손바닥이 찢어지는 사고를 당했습니다. 장갑을 껴뜨리면 예방할 수 있는 사고였겠죠!! 꼬맬까 말까 망설이다 약만 바르고 조심했는데 2주 정도 고생했어요!! 에어라인연결시, Decoupling 할 때, 트레일러 뒷문을 열고 닫을 때 등 항상 가죽장갑을 끼고 작업을 하시기 바랍니다.

*3 Point rule 을 지키자!!

트랙터에 오르고 내릴 때 3군데(3 Point: 양손, 발)를 터치하면서 안전하게 오르고 내리자 라는 말입니다. 왜냐하면 트랙터는 일반차보다 높기 때문에 가끔 서두러 내리다 낙상사고가 발생할 수 있기 때문입니다. 내릴 때 앞쪽을 보면서 내리는 것이 아니라 등쪽을 밖으로 두고 천천히 내리는 것이 좋습니다. 이 때 한 다리와 양쪽 손이 무엇인가를 잡고 있어야 한다는 말이죠!!

특별히 겨울철에 땅이 얼어 있으면 더욱 더 조심해야겠죠!! 겨울철 말이 나왔으니 겨울철에 노면이 결빙되었으면 펭귄처럼 걷는 것이 안전사고 예방을 위해 좋습니다. 펭귄처럼 걷는다는 의미는 무게중심을 앞쪽에 두고 엉거주춤 하게 걷는다는 말입니다. 만약 얼음에 미끌려 떨어졌을 때 앞쪽으로 넘어지게 하잖는 말이죠!! 왜냐하면 앞쪽으로 넘어지면 손을 짚을 수 있어 더 안전할 수 있기 때문입니다. 그런데 만약 뒷쪽으로 넘어진다면 엉덩방아를 찍거나 머리를 다칠 수 있기 때문에 더욱 조심해야 합니다.

*Backing in-GOAL(Get Out And Look)을 실천하자!!

일반 트럭 운전자와 트랙터 트레일러 운전자가 가장 다른 점이 바로 Backing(후진)입니다. 왜냐하면 소형차량과 정반대로 움직이기 때문입니다. 따라서 후진할 때 가장 많은 안전사고가 발생한다고 볼 수 있습니다. 예를 들어 사람을 치는 일, 다른 트랙터를 치는 일, 다른 트레일러를 치는 일, 특별히 다른 트랙터의 사이드 미러를 치는 일 등 많은 안전사고를 일으키게 됩니다. 그러므로 후진해서 파킹할 때 가장 중요한 예방책은 GOAL 과 자존심을 버리는 일이다. GOAL 이란 말은 Get out and look 의 약자로서 트랙터에서 나와서 눈으로 보고 상황을 확인하라는 말입니다. 특별히 후진 앨리 닥(Alley dock)을 할 때 Passenger side 의 사이드 미러를 볼 수 없습니다. 본인 좀 자신이 없을 때 혹은 공간이 좁다고 느끼면 브레이크를 걸고 트럭에서 내려서 눈으로 확인하는 것이 필요하다고는 말입니다.

공간이 부족하거나 파킹장이 좁을 때는 다른 트럭커에게 도움을 청하는 것이 상책입니다. 자존심 때문에 위험을 감수하는 것보다 안전사고를 예방하기 위해 도움을 청하는 것이 좋다는 말입니다. 저도 일반적 상황에서 도움을 청하지 않지만, 공간이 부족하거나, 두 트랙터가 사이가 많이 좁을 때 다른 트럭커에게 도움을 청하고 있습니다. 영어에 이런 말이 있습니다. "Better safe than sorry!!" 이말은 "나중에 후회하는 것 보다 미리 조심하는 것이 낫다." 는 말입니다.

*상하차를 한 후 떠날 때 Dock door 닫혔는지 확인하자!!

물건을 싣거나 내릴 때 담당하는 사람과 Communication 를 정확하게 해야합니다. 보통 모든 서류작업이 끝나면 그 일이 일단락되었다고 생각하죠!! 그래서 마음대로 차를 움직이면 가끔 안전사고 인명사고가 발생할 수 있습니다. 그래서 Dock 에 light 이 있으면 Green 사인에 움직일 수 있는데, 만약 아직 Paper work 를 하지 않았다면 움직이지 않는 것이 좋습니다. Dock worker 가 실수해서 Green 사인을 줄 수도 있기 때문입니다. 만약 지게차가 들어가는 상황에서 트럭이 움직이면 아주 위험한 인명사고가 발생할 수 있습니니다. 특별히 Dock 에 light 이 없을 때는 더 조심하고 상호 커뮤니케이션을 정확하게 하는 것이 필요합니다. 그래서 가장 안전한 습관은 뒤로 가서 Dock door 의 문이 닫혔는지 확인하는 것이다. 만약 Dock door 가 열려 있는데, Green light 이거나 상하차가 끝났다고 들으면 트레일러를 손으로 치면서 "leaving"(차뺀다)라고 큰소리로 말하는 것이 좋습니다. 혹시 트럭안에 있을 사람에게 경고를 한번 더

하는 거죠!!

*트랙터와 트레일러를 결합시 Fifth wheel이 완전하게
결합되었는지 확인하자!!

트럭일을 하다보면 트랙터와 트레일러를 커프링(Coupling:
결합)하고 Decoupling(분리)할 때가 자주 있습니다. 특별히 Coupling
을 할 때 Fifth wheel이 잘 결합되었는지 확인하는 것이 중요합니다.
만약 잘 결합되지 않은 상태에서 운행하다가 Kingpin이 빠져 버리면
트레일러가 주저 않거나, 속도가 있는 상태에서 빠지면 아주 위험한
안전사고가 발생할 수 있습니다. 그래서 Coupling이 잘 되었는지
확인하는 방법을 잘 숙지하시고 출발전 반드시 확인하시기 바랍니다.
보다 구체적인 것은 제 영상 미국 트럭커의 모든 것#111를 참조하시면
좋겠습니다.

*파킹 브레이크를 꼭 확인하고, Chock을 습관화 하자!!

간혹 정차 후 파킹 브레이크를 거는 것을 깜박하는 경우가
있습니다. 이것은 굉장히 위험한 짓(?)이 됩니다. 파킹장이 평평해서
트랙터 트레일러가 그냥 서 있을 수도 있지만 상하차를 위해 지게차
(Forklift)이 들어오는 순간에 트럭이 움직이면 인명사고가 발생할 수
있습니다. 예를 들어, 한번은 어떤 웨어하우스에 픽업을 갔는데 저의

초보동료도 함께 왔습니다. 제가 먼저 픽업을 끝내고 트럭에서 서류작업을 하고 있는데 트럭이 앞으로 움직이는 거예요!! 얼마나 놀랐던지!! 초보동료가 파킹 브레이크를 걸지 않았던 것입니다. 다행이 조금 움직여서 큰 사고는 없었지만 아찔한 순간이었죠!! 저는 그 동료에게 말했습니다. 작업자에게 회사에 신고하지 말라고 부탁하라고요!! 이런 종류의 안전 사고는 회사가 알면 바로 짤릴 수 있는 치명적인 사고이기 때문입니다. 그래서 혹시 모를 상황을 위해 Chock를 하는 것은 필수입니다. Chock이란 말은 차가 움직이지 못하게 차바퀴 뒤에 무언가를 공군다는 말입니다. 이것은 일종의 보험입니다. 보험은 들면 마음이 편합니다!! 편하게 삽시다!!

14장 트랙터(Tractor)에 관해

캄파니 드라이버는 트럭과 트레일러에 대해 특별히 신경 쓸 필요가 없습니다. 왜냐하면 기본적으로 회사에서 알아서 정기 점검하고, 고장나면 수리해 주기 때문입니다. 그래도 가장 기본적인 것에 대한 지식과 이해가 있으면 좋습니다. 왜냐하면 트럭을 사용중 고장이 났을 때 어떤 부분에 고장이 났다고 말할 수 있으면 트럭을 빨리 고치고, 계속해서 달려 돈을 벌 수 있기 때문입니다. 제가 생각할 때 아래의 두가지는 캄파니 드라이버도 알아야 하고, 스스로 처리할 수 있어야 한다고 생각합니다. 왜냐하면 이것 때문에 문제가 생기면 일을 못할 수 있고, 돈을 못 벌 수 있기 때문입니다.

첫번째는 Fuel filter 인데요!! 연료속에 있는 물을 걸러내는 장치입니다. 이것이 꽉차면 대시보드에 시그널이 뜨게 되고, 정도에 따라 트럭을 사용할 수 없게 됩니다!! Filter 에는 물과 기름이 섞여 있는데 밀도에 따라 물은 아래에 기름은 위에 있게 되죠!! 기름과 물의 경계선을 볼 수 있을 것입니다. 그래서 경계선이 보이지 않을 때 까지 아랫쪽 물을 빼주면 됩니다!! 필터를 갈아야 할 경우도 있지만 그것은 매케닉이 알아서 할 일이고, 물이 차면 물을 버리는 일은 트럭커가 할 수 있고, 해야 되는 부분입니다.

그런데 사실은 이전에 JB hunt 에서 중장거리 뛸 때는 자주

했는데, Old Dominion 으로 이직 후 거의 해본 적이 없습니다. 정확한 이유는 모르겠는데 아마도 3개월 마다 하는 정기점검에서 매케닉들이 알아서 물을 빼주는 것 같습니다. 또한 Local 은 중장거리 만큼 많이 달리지 않기 때문에 물이 찰 확률이 적지 않을까 생각합니다. 그리고 Fuel filter 도 일종이 filter 입니다. 그래서 나름대로의 수명이 있어 언젠가(?)는 filter 자체는 교체해야 합니다. 그래서 대시보드에 Fuel filter 사인이 뜨면 주의를 가지고 어떤 상태인지 잘 체크하셔야 합니다.

두번째는 DEF Regeneration 입니다. DPF 도 하나의 필터이고, regeneration 은 글자 그대로 재생 다시 살려낸다는 말 입니다. 그러므로 DPF regeneration 은 필터를 다시 살려내는 방법 입니다. 다시 말해서 DPF 는 Diesel Particulate Filter 의 약자인데요!! Diesel 이 연소하면서 발생하는 Particulate 그을음, 미립자성 물질을 걸러내는 필터입니다. 미국에서 2007년 부터 새로운 환경규제법에 의해 모든 디젤차량은 DPF 를 장착해야 합니다. 그런데 문제는 이 필터 장치가 기본적으로 몇 백만원 단위로 비싸다는 것이죠!! 그래서 이 필터를 재생(Regeneration)해서 재활용하는 것이죠!! 그럼 어떻게 DPF 는 작동을 할까요? 기본적으로 고열에 의해 그을음을 태우는 방식을 사용합니다. 그래서 장거리 고속주행을 하면 자동적으로 태우게 됩니다. 그렇지만 그을음을 태우고 남은 Ash(먼지)는 필터에 계속 쌓이게 되는 거죠!! 그래서 그것이 많이 쌓이면 고열이 원활하게 빠져나가 못하게 되고, 부작용과 문제가 발생되는 거죠!! 그러면 대시보드에 Regeneration 사인 뜨게 됩니다.

그럼 어떤 증상이 나타날까요? 먼저 속도를 낼 수 없어요!! 예를 들어, 10단에서 가스 페달을 아무리 밟아도 시속 60-70 mile 정도 밖에 나오지 않아요!! 그리고 배기기관이 점점 뜨거워지고, 소리도 안 좋아지게 되죠!! 그래서 이것을 방치하면 엔진이나 차에 심각한 장애를 발생할 수 있습니다. 왜냐하면 빠져나가 못한 연소된 고열이 역류할 수 있기 때문이죠!! 그러므로 사인이 뜨면 즉각적으로 Regeneration 하면 것이 좋습니다. 어떻게 Regeneration을 할까요? 방법은 아주 단순한데요!! 일단 트럭을 안전한 곳에 파킹 브레이크를 걸고, 정차합니다. 트럭 브랜드마다 약간의 차이가 있겠지만 기본적으로 시동이 걸린상태에서 기어는 중립에 두고 Regeneration 버턴을 몇 초 동안 누르고 있으면 됩니다. Regeneration이 잘 작동한다면 트럭은 스스로 빠르게 공회전을 시작하면서 엔진소리가 점차 커질 것입니다. 소요시간은 DPF의 상태에서 다르겠지만 짧게는 10분 길게는 1시간을 정도 까지 보통 30분 전후로 보시면 되겠습니다. Regeneration 사인을 무시하고 운행하면 엔진손상이라는 비싼 댓가를 치를 수 있으니, 사인이 뜨면 반드시 Regeneration를 하시기 바랍니다.

15장 트럭커와 건강

    모든 직업군은 나름대로의 직업병이 있죠!! 어떤 직업은 육체적인 직업병이 강하고, 어떤 직업은 정신적인 직업병이 강하지만, 기본적으로 둘 다 있다고 볼 수 있겠죠!! 그럼 트럭커는 어떤 직업병을 가지고 있을 까요? 육체적인 직업병과 정신적인 직업병으로 나누어서 살펴보겠습니다.

    먼저 육체적 직업병을 살펴보면, 대사질환, 관절병, 전립선을 생각해 볼 수 있습니다. 트럭커의 첫번째 육체적 직업병은 운동부족과 많이 연관된 비만, 당뇨, 고혈압 등의 대사성 질환입니다. 3시간 동안 내리 앉아 있는게 담배 1갑 피우는 것보다 나쁘다라는 표현을 어떤 책에서 본 적이 있습니다. 트럭커 특별히 장거리 트럭커는 하루 많게는 10-11시간을 앉아서 운전할 수 있죠!! 그래서 일반적으로 말해 트럭커일은 건강에 별로 좋지 못합니다. 설상가상 먹는 것도 변변치 않죠!! 그래서 많은 질병에 노출되어 있는게 사실입니다. 그렇다고 트럭커일을 그만 둘 수 없고, 주어진 상황에서 최선의 길을 찾아야겠죠!! 내 나름대로의 솔로션은 적어도 두시간안에 한번은 소변도 볼겸 차를 세우고, 5-10분 정도 쉬었으면 좋겠습니다. 스트레칭도 하시고, 1-2분안에 무릎을 높이 들며 제자리 걷기 100개하시면 혈액순환에 좋을 것입니다. 그리고 트럭스탑에 들어가면, 저녁 전후로 미니엄 20-30분 걷는 것도 좋다고 생각합니다. 그리고

샤워하는 날에는 근처를 한 번 달리는 거죠!! 땀도 좀 흘리고 샤워를
하면 좋을 것 같습니다.

두번째는 관절병인데요!! 목, 어깨, 허리, 고관절, 무릎, 발목 등
모든 관절에 문제가 생긴다는 것입니다. 저도 장거리 운전 1년 정도
하니까, 갑자기 무릎이 아프기 시작해서, 통증병원을 갔는데
직업병이라고 하더라고요!! 장시간 운전하는 트럭커는 이 관절병에서
자유로울 수 없습니다. 그렇지만 최대한 병에 걸리지 않도록
조심해야겠죠!!! 일차적으로 잘못된 자세와 장시간 앉아 있는 것이
문제입니다. 통증병원의 의사가 말하길, 한 자세로 계속 있으면 압력이
그 곳에 발생하고, 염증과 통증이 생긴다고 하더라고요!! 그러니까?
바른 자세로 앉아서 운전하며 자주 자세를 바꾸는 것이 도움이
되겠습니다. 그리고 운전 중 근육이완과 스트레칭은 제 영상 미국
트럭커의 모든 것#11편을 참고하시면 좋겠습니다.

세번째는 바로 전립선문제인데요!! 특별히 중년이시면 더
조심해야겠죠!! 저도 초보 때 멋모르고 6시간 내리 운전한 적도
있어요!! 소변을 참는 것은 전립선에 좋지 않습니다. 그리고 운전을
하다 살짝 일어나 다시 앉고, 자세도 좀 바꾸는 것도 좋을 것 같아요!!
모든 병이 다 그렇지만 소리없이 찾아옵니다. 조금씩 조금씩 쌓여서
문제가 되는 거죠!! 중년이 되면 전립선 비대증이 노화의 일부로
자연스럽게 찾아오죠!! 그런데 운동부족, 패스트 푸드 식습관, 장시간
앉아 운전하기 이런 것들이 불난데 기름을 붓는 행위가 되는 거죠!!

저는 원래 저녁에 잠이 들면 누가 엎어가도 모르게 깊이 자는데, 요즘은 꼭 1번을 일어나야 합니다. 수면의 질을 떨어뜨리는 거죠!! 그래서 문제가 좀 심해지면 밤에 몇 번을 더 일어나게 되면 삶의 질에 빨간 불이 켜지는 거죠!

이제 트럭커의 정신적 직업병을 살펴보면, 한마디로 표현하면 "울화통"입니다. 열불이 나는 거죠!! Fire!! 크게 두가지 원인인데요!! 짜증유발자와 출퇴근시간, 혹은 사고로 인한 Traffic(교통 체증)입니다. 먼저 짜증을 유발하는 운전자들을 보면요!! 끼어들어서 천천히 가는 사람, 보복운전하는 사람, 트럭커가 좀 실수하거나 하면, 어떤 운전자는 트럭앞에서 갑자기 브레이커를 밟고, 트럭커가 놀라서 브레이커를 급하게 받으면, 쏜살같이 도망갑니다!! 따라 잡을 수도 없고!! 환장하네!! 골목길에서 주도로 진입할 때 바로 주도로 진입하려는 사람들, 그리고 기다리는 사람들!! 핸드폰하며 천천히 가는 사람!! 저는 이때 클락션을 울립니다!! 제일 안쪽 차선이나 두번째에서 천천히 가는 사람!! 3차선으로 빠지라고요!! 제발!! 등 많은 경우가 있습니다.

제가 장거리할 때, 초보일때는 정말 짜증나서, 크락션도 울려보고, 혼자 씩씩거리고 거랬습니다. 갑자기 끼어드는 차량에 "그것은 아니지"라고, 원망, 짜증, 화를 냈습니다. 근데, 1-2년 지나니!! 짜증 내봐야!! 나만 손해 예요!! 짜증유발자들은 언제 어디서나 있고, 내 마음만 힘들죠!! 그래서 이제는 "그럴 수 있지" "바쁜 일이 있는 모양이지"!! "내 차를 쳐 박지 않아서 다행이다."라고 생각합니다.

한마디로 "포기했죠!!" 제가 Sexist(성차별주의자)는 아닌데!! 운전에서는 보면, 여성운전자들이 아무 생각없이 운전하고, 아무 때나 끼여드는 경향이 좀 있는 것 같아요!! 그래서 제가 농담삼아 집사람과 딸에게 말합니다. "그대들을 생각하며 노여움을 버린다고요!!", 흔히 김여사님이라 불리는 운전자를 만나면!! 집사람과 딸을 생각하며 참고 웃으며, 넘기려 하는 거죠!!" 그리고 또 다른 유형의 짜증 유발자는 경찰과 소방관들입니다. 미국경찰과 소방관들은 "Too Much"입니다. 제가 늘 주장하는 바인데!! 한국은 안전불감증이 문제고, 미국은 안전감증이 문제입니다. 조금마한 접촉사고 하나 나면, 경찰차가 몇 대 출동하고, 소방차와 엠불런스가 출동해서 통행을 막아 버립니다. 그들은 교통의 흐름을 전혀 고려하지 않습니다. 그래서, 경찰관과 소방관들이 수고하지만 때때로 밉고, 짜증스럽죠!!

두번째 원인은 Traffic(교통 체증)입니다. 미국도 출퇴근 시간에 traffic이 있고, 각 종 사고로 도로가 막힐 때 트럭커는 울화통이 생깁니다. 트래픽에 걸리면 몸은 몸대로 힘들고, 돈은 안되고 짜증이 폭발합니다!! 특히 Mile당 pay를 받는 사람들은 장거리 트럭커는 달려야 돈을 버는데, 출퇴근 traffic과 사고로 인한 traffic 만나면 대부분 수동 기어를 사용하는 트럭커는 다리가 고생하죠!! 몸도 마음도 지쳐 짜증이 폭발합니다. 그런데 말입니다!! 사람은 환경의 동물이잖아요!! Traffic(교통체증)에 의한 울화통은 Local로 옮기고 완전히 없어졌습니다. 왜냐고요!! 왜냐하면 Local 운전자는 시간당

페이를 받기 때문이죠!! traffic에 걸리면, 몸은 조금 힘들지만 마음은 힘들지 않습니다!! 군대에서 뭘해도 국방부의 시계가 돌아가듯, traffic 에서도 시간을 흘러가기 때문이죠!! 그리고 시간당 페이를 받는 Local 드라이버는 양보도 잘하고, 나이스합니다. 왜냐하면 서둘러 갈 이유가 없기 때문이죠!!

저도 처음에는 짜증유발자와 traffic 때문에 울화통이 생겼죠!! 그런데 가만히 생각해 보면 화내봤자 나만 손해더라고요!! 좋게 좋게 생각하는 것이 좋은 거죠!! 모든 트럭커들이 건강하게 안전하게 생활했으면 좋겠습니다.

16 장 Log(일정)관리

Log 는 트럭커의 시간을 관리하는 시스템입니다. 로그를 관리하는 방법에는 Paper log 과 ELD(Electronic Logging Devices) 있습니다. Paper log 은 구식으로 트럭커가 종이에 직접 기록하는 방식인데 지금은 거의 사용되지 않는 것 같습니다. 그래서 현재 대부분의 트럭커는 소형단말기 형태인 ELD 를 사용하고 있습니다. ELD 는 퀄컴(Qualcomm), 피플넷(People net), 콜택스(Coretex) 등과 같이 여러 종류가 있는데 회사마다 사용하는 장치가 다를 수 있습니다. 그런데 대부분의 장치의 기본사용법은 대동소이하니 너무 걱정할 필요는 없습니다.

Log 를 하는 가장 중요한 이유는 무엇일까요? 제가 생각하기에는 트럭커의 운전시간을 통제해 사고를 예방하려는 의도인 것 같아요!! 미국 트럭커는 하루에 11 시간 이상 운전을 할 수 없죠!! 그런데 옛날에 종이에 직접 기록할 때는 11 시간 Rule 를 무시하고 돈을 더 벌기 위해 장시간 운전했죠!! 그 결과 졸음 운전을 하게 되고 수많은 사고를 초래하게 된 것이죠!! 그래서 현재는 대부분의 회사에서 ELD 를 사용하기 때문에 더 이상 당국을 속일 수 없게 된 것이죠!!

Log 는 기본적으로 연방법의 제재를 받습니다. Log 를 어기게 되면 트럭커와 회사는 정도에 따라 상당한(몇 백불에서 몇 만불까지)의

페널티를 받게 됩니다. 당연히 CSA 점수도 내려가겠죠!! 그러면 보험료 등등에서 불이익을 받을 수 있습니다. 그래서 회사입장에서는 Log를 자주 위반하는 트럭커를 좋아하지 않습니다. 아니 몇 번 반복해서 위반하면 회사에게 짤릴 수도 있습니다. 그렇지만 약간의 실수와 전산망 자체의 오류 등은 회사에서 수정을 할 수 있습니다. 어쨌든 최종적으로 당국에 보내기 전 수정할 수 있는 것은 수정이 가능합니다. 회사에서도 일단 Log violation이 발생하면 연락이 오며 어떤 상황인지 확인합니다. 그러므로 기본적인 HOS(Hours of service) 규제를 잘 이해하고 잘 지켜야 하겠습니다.

HOS의 규제중 가장 기본적인 Rule 네가지를 살펴보면 다음과 같습니다. 첫째는 11 hour driving limit 입니다. 이것은 하루에 11시간까지만 운전을 할 수 있다는 말입니다. 다시 말해 11시간 이상 운전을 할 수 없다는 말이죠!!

두번째는 14 hour limit 입니다. 트럭커는 운전시간을 포함해서 하루에 14시간 이상 일을 할 수 없다는 말입니다. 다시 말하면 운전, 상하차시간, 기타 등등 모든 시간을 포함해서 14시간 이상 일을 할 수 없다는 말입니다.

세번째는 30 minute driving break 인데요!! 이것을 일을 시작해서 8시간이 되기 전에 30분을 쉬어야 한다는 규칙입니다. 그래서 보통 일을 하고 6-8시간안에 30분 브레이크를 하게 됩니다. 왜냐하면 하루에 일을 할 수 있는 시간이 14시간인데 그 전에 쉬면 두번을 쉬어야 한다는 계산이 나오기 때문이죠!! You understand what I am saying?!! 산수를 하시면 되겠죠!! 그런데 최근 이 규칙이 일부 수정되어 Local 에 일하는 트럭커는 굳이 30 분을 쉬지 않아도 되는 것으로 변경되었으니 참고하시기 바랍니다.

네번째는 60/70 hour limit 입니다. 이것은 7 일/8 일 동안 연속해서 60 시간/70 시간 이상을 일할 수 없고, 반드시 34 hour 를 연속적으로 쉬어야 다시 일을 시작할 수 있다는 말입니다. 그래서 보통 OTR 경우에 5 day out 2 day in 이 많은데 70 시간 limit 으로 한 주가 돌아간다고 보면 되겠죠!! 하루에 최대로 일할 수 있는 시간 14 에 5 일이면 최대치가 70 시간이고, 34 시간을 연속적으로 쉬어야 하니 이틀 동안 쉬고 다시 다른 한 주를 시작하는 거죠!

어떻게 생각하면 HOS 규제가 굉장히 복잡한 것 같은데 트럭커로 생활하면 1-2 달에 안에 익숙해집니다. 가장 중요한 것은 주어진 HOS 규칙안에서 여유롭게 일을 하는 것이다. 그리고 일하는 트럭회사마다 HOS 규제안에서 약간씩 다르게 적용할 수 있습니다. 따라서 회사와 일의 종류에 따라 스타일이 다를 수 있기 때문에 의문이 생기면 동료와 디스패처에게 잘 확인하면 되겠습니다.

그래서 한가지 개인적인 Tip 를 말씀드리면 이렇습니다. 제가 JB hunt 에서 일할 때 사용한 것인데, 30 분 브레이크 타임을 활용하는 방법입니다. 트럭커는 일을 시작한 후 8 시간이내에 30 분 브레이크 해야 하잖아요!! 그런데 그냥 생각없이 아무렇게 30 분을 쉬어 버리면

30 분이라는 시간이 의미 없이 날아간다는 거죠!! 그런데 이 30 분 브레이크를 Detention time(주로 상하차시간)으로로 활용하면 30 분 브레이크 시간을 의미있게 활용할 수 있다는 것입니다.

보통 트럭커는 30 분 브레이크를 6-8 시간 사이에 사용하죠!! 왜냐하면 하루에 14 시간까지 일할 수 있다는 규칙에서 볼 때 너무 일찍 사용하면 한번 더 30 분 브레이크를 해야 되기 때문입니다.

당시 저는 보통 아침 7 시 전후에 일을 시작했죠. 대개 뉴저지에서 어떤 물건을 픽업한 후 펜실베니아 핏스톤(pittston)에 있는 홈디포 DC(Distribution Center)로 가서 물건을 내리고, 뉴저지나 업스테이트 뉴욕에 있는 홈디포 매장으로 딜리버리하는 것이 일과였습니니다. 그래서 보통 점심 무렵 1 시 전후에 매장에 도착하게 됩니다. 오후 1 시가 넘으면 30 분 브레이크 타임을 사용해야겠죠!! 이때 개인적으로 두 마리의 토끼를 한꺼번에 잡게 되는데 한마리는 30 분 브레이크 타임이고, 다른 한 마리는 30 분 디텐션타임입니다. 의무적으로 쉬어야 하는 30 분을 Detention time 30 분으로 전환해서 돈을 버는 거죠!! 그럼 어떻게 전환할까요? 이런 적용은 회사마다 룰이 다를 수 있으니 참고만 하시길 바랍니다. 당시 JB hunt 에서는 문제가 없었죠!! 다시 말해서 홈디포 매장에 도착(Arrival)했다는 신호를 보내고 일을 완전히 마치고 떠나기(Depart) 전까지는 Detention time 에 적용되어 시간당 돈을 받게 되는데 저는 이 Detention time 안에서 30 브레이크를 사용함으로써 두 마리의 토끼를 잡을 수 있었다는 말입니다. 다시 말해 Detention time 안에 30분 브레이크를 함으로 연방법을 만족시키고, 동시에 회사에서 Detention time 으로 돈을 받았다는 말입니다. 이것은 회사가 이 상황을 어떻게 해석하느냐에 따라 결과가 달라질 수 있으니 각자의 상황에 맞게 잘 활용하기 바랍니다.

Rest area#4 DEF(Diesel Exhaust Fluid)-요소수

DEF는 영어로 Diesel exhaust fluid 인데요!! 직역을 하면 디젤 배기 액체 정도가 되겠네요!! 영어로 데프라고 합니다. 그러니까 디젤차의 배기시스템과 연관된 액체라는 것이죠!! 한국말로는 요소수라고 하더라고요!! 맞습니다!! 맞고요!! 얼마전에 있었던 요소수 대란의 그 요소수입니다. 다시 말하면 요소와 물이 혼합된 액체입니다.

먼저 Def 즉 요소수는 물처럼 반투명한 액체이고요!! 냄새가 약간 나는데 뭐라고 표현할까?! 약간 시큼한, 케미컬냄새가 난다고 할까요!! 공기중에 노출되면 수분이 증발하면서 흰색 결정이 생깁니다. 직관적으로 보면 몸에 안 좋을 것 같은데 Def 요소수는 기본적으로 인체에 무해하다고 하니 안심하셔도 됩니다. Def(데프, 요소수)는 미국에서 2011 부터 법제화되어 시행되고 있는데요!! 디젤차량에서 나오는 배기가스의 오염물질 특별히 질소산화물을 감소시키고, 제거하기 위한 장치에 쓰이는 액체라고 보면 되겠습니다.

보통 Def는 트럭스탑에서 주유를 할 때 동시에 넣게 되는데요!! 기름탱크와과 Def 탱크를 혼동하지 않도록 주의하셔야 합니다. 그리고 비상용으로 휴대할 수 있는 Def도 파는데요! 항상 주유할 때 미리 채워 놓아야 합니다. 왜냐하면 Def가 떨어지면 기름이 있다고 해도 트럭을 운전할 수 없기 때문입니다.

트럭의 DEF 주입구 　　 일회용 휴대가능한 DEF

17 장 Paperwork(서류작업)

트럭커의 기본적인 일은 물건을 픽업하거나 딜리버리하는 것이죠!! 그런데 이 과정에서 자연스럽게 서류작업을 하게 됩니다. 서류작업은 비교적 간단하지만 물건을 주고 받는 것에 대한 책임을 동반하는 과정임으로 꼼꼼하게 확인하고 정확하게 처리해야 합니다.

트럭커의 종류에 따라 서류작업이 조금씩 다릅니다. 일반적으로 말해 장거리 OTR의 서류작업은 비교적 단순하고, 단거리 Local은 조금 복잡하다고 할 수 있죠!! 서류작업에서 가장 중요한 사항은 누가, 언제, 무엇을, 얼마나 픽업했는지 혹은 딜리버리 했는지 확인하고 사인하는 것입니다. 사인을 했다는 것은 그 내용에 대해 책임을 진다는 뜻이겠죠!! 그러므로 정확하게 모든 것을 확인하고 문제가 없을 때 사인을 해야합니다. 그럼 픽업할 때 그리고 딜리버리를 할 때 어떻게 서류작업을 하는지 살펴보도록 하겠습니다.

먼저 물건을 픽업할 때를 생각하면 가장 중요한 일은 Shipper(발신자)와 Consignee(수신자)를 확인하는 것입니다. 때때로 Shipper가 실수해서 다른 서류를 줄 때도 있습니다. 그러므로 일차적으로 발신자와 수신자가 정확한지 확인해야 합니다. 다음으로 확인해야할 일은 물건의 개수, 즉 파렛(pallet 혹은 skid)의 개수, 수량이 되겠습니다. 여기에는 가장 일반적인 두 경우의 수가 있습니다.

　　먼저 Local 트럭커의 경우는 트럭커 스스로 물건의 개수를 확인하게 됩니다. 그런데 OTR 트럭커의 경우에는 대부분 Shipper 가 알아서 물건을 실고, Seal 를 하거나 혹은 주거나 합니다. 그래서 물건의 갯수는 직접 확인할 수 없는 경우가 많습니다. 보통 이럴 때는 SLC(Shipper loaded and counted)라고 표시하게 됩니다. 다시 말해서 수신자가 물건을 실고 Seal 를 했으니 수량에 대한 것은 수신자의 책임이고 트럭커는 상관이 없다는 말입니다.

　　물건을 개수를 적는 방법에는 몇 가지가 있는데, PCS, Pallets,

Skid, STC, SLC, SWP 등 입니다. PCS 는 pieces 의 약자로 몇 개를 표시합니다. Pallet 과 Skid 는 같은 말로 파렛을 말합니다. SWP 는 shrink wrap pallet 의 약자로 비닐로 팔렛을 감았다는 구체적인 표현입니다. 보다 상세한 내용은 제 미국 트럭커의 모든 것 영상을 참고하시면 좋겠습니다.

물건을 딜리버리할 때 하는 서류작업은 기본적으로 픽업과 같습니다. Consignee 를 확인하고, 물건을 개수를 확인하고 혹은 Seal 을 제거하고, 수신자의 사인을 받으면 됩니다. Seal 은 반드시 Receiving office 의 가이드에 따라야 합니다. 어떤 곳은 트럭커에게 그냥 제거하라고 하고, 어떤 곳은 관계직원이 확인하고 제거합니다. 물건을 픽업할 때 Seal 이 잘 장착되었는지 잘 확인해야 합니다. 가끔 Seal 이 끊어지거나 없어지는 경우도 발생해서 배달지에서 낭패를 볼 수 있기 때문입니다.

요즘은 종이를 통해 서류작업을 하는 것보다 소형단말기 (Handheld)로 사인하는 경우가 점차 늘어나고 있습니다. 어쨌든 기본적인 정보들을 잘 확인하고 사인을 해야하는 것은 변함이 없습니다.

18장 HME(위험물 운반허가증)의 모든 것

트럭일을 하다보면 종종 Hazmat load(위험물로 분류된 물건이 실린 load)를 받게 됩니다. 당연히 Hazmat load 를 운반하려면 HME(Hazardous Material Endorsement)이 있어야 합니다!! 그럼 HME 가 무엇인지 알아야겠죠!! 이것을 3가지 측면에서 살펴보는 다음과 같습니다. 첫째는 Hazmat endorsement 를 따야 하는 이유이고, 둘째는 HME 시험과정이고, 셋째는 해즈맷 플래카드(Placard)에 관한 것입니다.

첫째, 가장 근본적인 질문, Hazmat endorsement 를 따야 하는 이유는 무엇일까요? 왜냐하면 트럭커로서 생존하는 데 도움이 되기 때문입니다. 다시 말해서 트럭회사에서 트럭커를 뽑을 때 이왕이면 다홍치마라고 HME 를 가진 트럭커를 선호하기 때문이죠!! 그래서 어떤 회사는 HME 가 없는 트럭커를 뽑으면서 조건을 달기도 합니다. 이를 테면, 3달안에 HME 를 따야한다 뭐 이런 식이죠!!

만약 시험을 통과해서 HME 를 가지게 된다면 어떤 보상이 주어질까요? 기본적으로 금전적인 보상이 있습니다. 보상방식은 회사마다 차이가 있지만 대략 2가지로 나눌 수 있는데요!! 첫째는 시급을 높여주는 방식입니다. 다시 말해서 HME 가 있는 트럭커와 없는 트럭커 두 사람이 동시에 입사했다고 할 때 HME 가 없는 트럭커의 시급이 25불 이라면, HME 가 있는 트럭커는 시급 26불에 일을 시작한다는 것입니다. 둘째는 Hazmat 를 운반할 때마다 한 load 에 얼마씩 보너스를 주는 방식입니다. 예를 들어, 5-6년 전 JB hunt 에 일할 때 Hazmat 이 있는 load 를 운반하면 $50 를 보너스로 받았습니다. 지금 어느 정도 받는지 모르겠지만 회사마다 좀 차이가 있으니 참고하시기 바랍니다.

둘째, 어떻게 하면 HME 를 받을 수 있을까요? 네, Hazardous Materials 한 과목을 패스하면 됩니다. 뉴저지의 경우, 시험분량은 매뉴얼 10장 정도입니다. 시험은 30문제이고, 80점 이상이면 합격이 됩니다. 합격하면 운전면허증 뒷면에 HME 가 있다는 표시를 해줍니다. 보다 자세한 사항은 제 영상 미국 트럭커의 모든 것에서 참고하시길 바랍니다.

셋째, 해즈맷 프래카드는 어떻게 설치해야 할까요? 네, 가장 기본적인 절차는 위험물의 종류에 따라 적절한 플래카드를 4면에 설치해야 합니다. 트레일러 앞면, 양쪽의 옆면, 뒷면 이렇게 4곳에 동일한 플래카드를 설치해야 합니다. 그럼, 이렇게 플래카드를 설치하는 이유는 무엇일까요? 네, 사고가 발생했을 때 그 위험물이 어떤 것인지를 알아야 문제를 올바르게 처리할 수 있기 때문입니다.

예를 들어, 트럭커가 운반하는 물질이이 물에 젖으면 위험한 해즈멧이라고 가정해봅시다. 그런데 만약 불이 났는데 여기에 물을 뿌려버리면 더 위험한 상황이 발생할 수 있겠죠!! 이런 사항이 발생하지 않도록 플래카드를 설치해서 경고를 주고 주의를 환기하게 하는 거죠!! 그래서 위험물을 운반할 때는 플래카드를 설치하고, 어떤 종류의 위험물이라는 서류를 지참해야 하는 것입니다. 그리고 만약 플래카드가 필요하면 대부분의 회사는 관련 플랜카드를 비치하고 있으니 요구하시면 됩니다. 만약 없다면 트럭스탑에서 구입해야겠죠!! 이것도 구체적으로 들어가면 약간 복잡합니다. 양에 따라, 질에 따라 플래카드를 설치할 수도 안 할 수 있습니다. 보다 자세한 사항은 제 영상을 참조하시면 좋겠습니다.

개인적인 결론은 HME 는 무조건 따놓는 것이 좋다는 것입니다. 왜냐하면 입사에도 도움이 되고, 금전적인 보상이 따르기 때문이죠!! 예를 들어, 소형 배터리도 위험물로 분류됩니다. 어떤 회사에서 아마존에 딜리버리를 해야 하는 경우를 가정해 봅시다. 많은 물건들속에 가전제품이 있어요!! 그런데 그 가전제품에는 배터리가 하나 들어가 있어요!! 그래서 전체 1000 개의 상자는 문제가 없고, 오직 배터리가 탑재된 가전제품 하나가 있다면 이 Load 는 해즈맷 Load 로 분류됩니다. 왜냐하면 배터리 하나가 해즈맷이기 때문이죠!! 그러면 HME 가 없으면 이 Load 를 운반할 수 없다는 말입니다. 그러므로 해즈맷은 우리가 생각하는 것 보다 의외의 경우가 많습니다. 그래서 만약 HME가 없어서 이것들을 처리하지 못한다면 회사입장에서 손해이고, 불편하겠죠!! 그러니, 당연히 HME가 있는 트럭커를 선호하게 되는 것입니다. 그러니 따는게 좋겠죠잉!!

19장 먹거리와 잠자리

먹거리와 잠자리는 OTR 트럭커의 영원한 숙제입니다. 특별히 트랙터 트레일러 트럭커는 먹거리가 좀 더 불편할 수 있습니다. 왜냐하면 차량의 덩치가 커서 식당이나 음식점에 접근하기기 어렵기 때문이다. 먹거리와 잠자리는 트럭커의 종류에 따라 다소 차이가 있는데 장거리(OTR)와 단거리(Local)의 관점에서 비교 검토해 보겠습니다.

먼저, 먹거리 문제를 보면 상당한 차이가 있습니다. 단거리 트럭커들은 보통 Local에서 매일 출퇴근하는 운전자입니다. 그러므로 단거리 트럭커들은 장거리에 비해 비교적 괜찮다고 말할 수 있지만 나름 불편함도 있습니다. 왜냐하며 단거리 트럭커도 일을 하는 시간에 따라 한끼 혹은 두끼를 밖에서 해결해야하기 때문입니다. 저의 경우는 점심 한끼는 도시락을 싸와서 먹으려 노력하고, 다른 한끼는 보통 패스트 푸드(햄버거, 중국음식, 피자)로 해결하고 있습니다. Local에서 일하는 트럭커는 현지 사정을 잘 알아서 어디에 어떤 음식점이 있는지 잘 알고 있습니다. 그래서 각자의 상황에 맞추어서 30분 브레이크 타임을 이용해서 보통 식사를 해결하죠!! 그런데 간혹 물건을 상하차 하는 시간에 걸리거나 주변에 접근할 수 있는 음식점이 없는 경우에는 뜻하지 않게 강제 단식을 하거나 때보다 훨씬 늦게 식사를 할 때도 있습니다.

먹거리는 장거리 트럭커의 가장 큰 고충 중의 하나일 것입니다. 제가 장거리를 할 때를 생각해보면, 보통 아침은 트럭스탑에서 빵하나 커피 한잔으로 해결했습니다. 그리고 운전하다가 접근 가능한 패스트 푸드점이 있으면 Take out 해서 보통 운전을 하면서 먹었죠!! 왜냐하면 장거리는 시간이 곧 돈이기 때문에 자연스럽게 먹으면서 운전하게 된 것이죠!! 그리고 보통 저녁에 집에서 준비해온 것으로 저녁을 먹었습니다. 저는 냉장고를 사용하지 못했습니다. 그래서 큰 아이스박스 밑에 생수를 8개 전후로 얼려서 넣고, 그 위에 김치나 다른 밑반찬들을 좀 가지고 다녔죠!! 날씨가 약간 더우면 하루 이틀정도 유지되고, 날씨가 선선하면 2-3일 정도 유지되더라고요! 보통 한 3일 지나면 가져온 것이 다 떨어지고, 이틀 정도는 한식을 그리워하면 대충 먹고 생활했죠!! 보통 일주일 한번 트럭스탑에 있는 미국식당에서 어메리칸 스타일의 저녁을 먹었습니다.

　　보통 먹거리는 김, 컵라면, 즉석음식, 햇반, 기타 김치, 밑반찬 정도를 가지고 다녔습니다. 때때로 트럭스탑에 들어갈 수 없을 때는 낭패를 보는 경우도 발생합니다. 왜냐하면 마이크로 웨이브를 없어 햇반을 데우지 못하거나, 컵라면을 위한 뜨거운 물을 구할 수 없기 때문이죠!! 이럴 경우에는 주변에 혹 다른 트럭이 있으면 도움을 청해보는 것도 한 방법입니다. 왜냐하면 오너 오퍼레이터의 경우에는 대부분 냉장고와 마이크로 웨이브를 휴대할 확률이 높기 때문입니다. 저도 실제로 그런 경우를 경험해 보았습니다. 가능하다면 장거리 트럭커는 냉장고와 마이크로 웨이브를 구입해서 사용하는 것이 좋겠죠!! 그러면 먹거리 문제가 한결 가벼워질 것 같습니다. 먹거리는 각자의 기호가 다르니 각자가 잘 준비해서 잘 챙겨먹으면 되겠습니다.

그런데 특별히 장거리 트럭커는 항상 하루 이틀치의 비상식량을 준비하는 것이 좋습니다. 미국의 땅이 넓어서 어떤 비상상황이 발생하면 음식점을 발견할 수 없거나 갈 수 없는 상황이 발생할 수 있습니다. 그리고 큰 교통사고가 도로가 폐쇄되거나, 혹은 큰 눈에 어떤 지역에서 고립될 경우도 발생합니다. 그러므로 비상시 사용할 수 있는 건식식량(비스켓 종류, 컵라면)과 물은 여분으로 반드시 준비해야 합니다.

이제 잠자리 문제를 살펴보죠!! 단거리 트럭커는 퇴근해서 집에서 자면 되죠!! ㅎㅎ 장거리 트럭커는 주로 트랙터에서 잠을 자게 되죠!! 처음 벙커에서 자면 좀 불편할 수 있겠지만 점차 익숙하고 편해집니다. 대부분의 Sleeper에는 간단한 침대가 있습니다. 저의 경우에는 침대에 커버를 씌우고 사용하고 일주일에 한번은 세탁을 했죠!! 이불은 사용하지 않았고, 큰 침낭을 주로 사용했습니다. 그리고 여분으로 담요한 장을 가지고 다녔습니다. 선선하면 담요한장을 덮고 자고, 좀 추우면 침낭에 들어가고 그 위에 담요를 덮기도 했죠!! 건조한 날씨에는 운전석 바닥에 물을 뿌리거나 수건 한 장을 물에 적셔 걸어두면 좋습니다.

먹거리와 잠자리는 다분히 주관적이고 개인적인 일입니다.

각자 자신의 스타일로 잘 준비해서 잘 먹고 잘자는 것이 필수입니다. 왜냐하면 트럭커의 건강은 이 두 가지에 크게 좌우하기 때문입니다. 특별히 충분하고 안락한 수면은 건강과 졸음 운전 예방이라는 두 마리 토끼를 동시에 잡는 상책이 될 것입니다. 먹거리는 신선한 야채와 샐러드를 자주 섭취하는 것이 좋을 것 같습니다. 왜냐하면 특별히 OTR의 경우, 시간에 쫓기다 보면 패스트 푸드 위주의 식사를 하기 때문입니다. 다시 한번 건강의 황금율(?)을 떠 올려 봅니다.

"잘 먹고, 잘 자고, 잘 싸면 건강한 것이다."

20장 Truck Stop 이용하기

　　Truck stop은 트럭커들이 기름을 넣고, 음식을 사먹고, 물건을 사고, 샤워를 하고, 빨래를 하고, 잠을 잘 수 있는 공간입니다. 주로 고속도로 옆에 위치하고 있죠!! 가장 대표적인 트럭스탑은 Pilot Flying J, Love's, TA, Petro 등 있습니다. 트럭스탑은 크게 3가지 역할을 하는데 기름을 넣기 위한 주유소의 역할, 여러가지 물건과 음식을 살 수 있는 편의점 역할, 그리고 트럭커들이 잠을 잘 수 있는 파킹장 역할을 합니다.

　　첫째, 트럭스탑은 기본적으로 주유를 할 수 있는 곳입니다. 몇 몇 주를 제외하면 대부분의 트럭스탑의의 주유소는 셀프주유입니다. 이때 정신을 집중해서 실수가 발생하지 않도록 주의해야합니다. 디젤차량인 트럭은 DEF를 함께 넣어야 하는데 경유와 데프를 혼동해서 넣으면 안됩니다. 그리고 간단하게 창문등을 씻을 수 있는

세제가 비치되어 있으니 이용하면 좋겠죠!! 보통 기름을 넣으면 그 보상으로 샤워를 공짜로 할 수 있는 혜택을 주는데 보통 리워드 카드에 적립해줍니다. 대부분의 대형 메이져 트럭스탑에는 주유포인트가 있습니다. 그것을 이용해서 물건들을 살 수도 있고, 샤워도 할 수 있죠. 각 트럭스탑의 포인트카드(Reward Card)가 다릅니다. 그러므로 각 트럭스탑의 리워드 카드를 모두 신청 받아 사용하는 것이 좋겠죠!! 만약 리워드카드 없이 샤워를 하려면 대략 $15(?)정도를 내야하는 것으로 알고 있습니다.

둘째, 트럭스탑의 본 건물은 일종의 몰로 크게 각종 잡화를 파는 곳과 식당과 패스트푸드 음식을 파는 곳, 트럭커에게 필요한 장비와 소모품을 파는 곳, 샤워시설, 그리고 빨래를 할 수 있는 곳 등으로 이루어져 있습니다. 이 몰(mall)에서는 일반적으로로 마이크로 웨이브와 뜨거운 물을 공짜로 사용할 수 있으니 잘 이용하기 바랍니다. 여기서도 리워드 카드를 이용해 물건을 살 수도 있습니다. 그리고 샤워시설을 이용하고 $1-2불 팁을 놓고 나오는 것도 잊지 않았으면 좋겠습니다!! 왜냐하면 그곳에서 일하는 분들이 Tip에 의존해서 생활하기 때문입니다.

셋째, 파킹장의 크기는 트럭스탑마다 다르지만 작게는 몇 십대에서 많게는 몇 백대를 될 수 있는 곳도 있습니다. 일반적으로 파킹장은 선착순입니다. 그런데 일부 파킹장은 돈을 주고 파킹장 예약해서 사용할 수도 있습니다. 개인적으로 딱 한번 돈을 주고 사용한

적이 있습니다. 어느 날 Log 시간이 끝날 무렵 트럭스탑에 들어갔는데 파킹할 공간이 없었죠!! 딴 곳으로 이동할 시간도 없고 할 수 없이 돈을 내고 하루 밤을 지냈죠!! 기억이 정확하지 않는데 몇십불($20 전후) 낸 것 같아요!! 또 어떤 트럭스탑은 일정금액을 사용했다는 영수증을 제시해야 공짜로 파킹할 수 있으니 각자의 상황에 따라 잘 이용하면 되겠습니다.

미국의 트럭스탑 파킹장에는 독특한 냄새가 있습니다. 어떤 냄새냐? 고요!! 트럭에서 흘린 기름와 트럭커가 싼 오줌이 혼합되어 나는 냄새인 것 같습니다. 개인적으로 트럭스탑하면 이 냄새가 먼저 떠오릅니다. 트럭커 아저씨들!! 제발 아무데나 쉬하지 않았으면 좋겠습니다.

대부분의 트럭스탑은 저녁이 되면 만원입니다. 왜냐하면 잠을 자면서 많은 편의 시설을 사용할 수 있기 때문이다. 그래서 조금 늦게 트럭스탑에 들어가면 쉴 수 있는 공간이 찾기 힘듭니다. 그래서 저녁이 되면 트럭커들은 먹거리를 찾아 헤메는 하이에나처럼 트럭스탑을 찾아 방황하게 됩니다. 그래서 때로는 트럭스탑에서 자리를 찾지 못해 갓길 (Shoulder)에서 불안하게 잠을 잘 때도 있습니다.

보통 일을 언제 시작하느냐에 따라 트럭스탑에 들어가서 쉬는 시간이 결정됩니다. 그러므로 트럭스탑에서 파킹할 자리를 잘 잡기 위해서는 일을 일찍 시작하고 일찍 트럭스탑으로 들어오는 것이 좋겠죠!! 그리고 트럭스탑외에 Rest Area도 괜찮은 대안이 될 수 있습니다. Rest Area는 Truck Stop과는 달리 잠만 잘 수 있는 공간입니다. Truck stop은 대부분 복잡한데 Rest Area도 좋은 선택지가 될 수 있습니다. 다만 편의시설을 사용할 수 없다는 것이 흠이 되겠습니다. 대부분의 GPS는 가까운 트럭스탑과 Rest Area에 관한 정보를 제공하니 참고하면 되겠습니다.

21 장 안전하게 운전하는 방법

트럭커는 운전을 직업으로 하는 사람들입니다. 그러므로 안전운전은 필수이고 생명을 지키는 일입니다. 그런데 의외로 안전운전에 대한 기본지식이 부족한 경우를 자주 봅니다. 그래서 안전하게 트럭을 운전할 수 있는 2 가지 법칙을 소개하려고 하는데요!!

첫째는 Smith System 이고, 둘째는 도로의 ⅓ 법칙(제가 만든 개념입니다. 저작권주의 ㅋㅋ)입니다. 기본적으로 두 법칙은 소형차량에도 똑같이 적용할 수 있습니다. 특별히 트럭커는 큰 차량을 장시간 운전함으로 사고발생률이 높습니다. 이상의 두 법칙을 잘 배우고, 익히고, 적용해서 안전사고를 예방하고, 안전하게 운전을 했으면 좋겠습니다.

Smith system 은 안전운전에 대한 5 가지 기본 법칙이라 할 수 있는데, 제가 JB hunt 에서 일할 때 이 교육을 받았습니다. 교육의 내용은 대부분 운전중에 바깥 상황을 살피며 방어운전을 하는 것으로 구성됩니다. 그래서 교육강사는 트럭커에게 운전을 하게 하고 10 분 동안 주변상황을 계속해서 말하라고 합니다. 예를 들어, 전방에 뭐가 있고, 옆에 어떤 차가 있고, 후방에는 어떤 차가 따라오고 있고, 갓길에 어떤 차량에 정차하고 있다. 이런 식으로 미친 사람처럼 5-10 분 동안 지껄이는 훈련을 받았습니다. 그럼 구체적으로 Smith system 이 말하는 5 가지 법칙을 살펴보겠습니다.

첫번째, Aim High in Steering 입니다. 이것은 운전할 때 기본적으로 전방 멀리보라는 의미입니다. 굉장히 중요한 메세지입니다. 운전을 못하는 사람의 특징은 앞차 꽁무니만 바라보고 갑니다. 그러다 돌발상황이 발생하면 방어운전을 할 수 없기 때문에 사고가 발생하게 됩니다. 그래서 한번은 운전자가 볼 수 있는 최대한 거리로 멀리보고, 그 다음 중간쯤, 그리고 바로 내 앞에 있는 차를 보라는 것이죠!! 왜냐하면 전방에 어떤 상황이 일어나고 있는지 미리 인지하면 상황을 예측하고 방어운전을 할 수 있기 때문입니다. 다시 말해서 앞쪽에 사고가 났거나 혹은 신호등이 바뀌서 앞차가 갑자기 속도를 줄일 때 미리 앞쪽 멀리 보았다면 방어적으로 대응할 수 있다는 뜻입니다. 그리고 어떤 경우에는 빨리 차선을 변경해서 막힘없이 갈 수도 있겠죠!! 그런데 앞에 어떤 상황이 펼쳐졌는지 모르고 앞차만 보고 달리면 앞차를 박거나, 급정거를 하거나, 라인이 막혀 기다려야 한다는 것이죠!! 그러므로 전방 멀리 보는 운전습관을 익혀 방어운전을 할 수 있으면 좋겠습니다.

두번째는 Get the Big Picture 입니다. 기본적으로 전체 큰 그림을 보라는 말이죠!! 다시 말하면 운전할 때 차 주변에 일어나는 모든 것을 인지 하려 노력하라는 말입니다. 위에서 말한 것 처럼 앞쪽에 어떤 상황이 발생하고 있는지, 옆차선에 어떤 차들이 어떻게 움직이고 있는지, 뒤쪽에 어떤 차가 어떤 상태로 따라오고 있는지, 전체를 파악 하라는 말입니다. 어떤 운전자들은 뒤에 경찰차가 따라 붙어도 몰라요!! 왜냐하면 오직 앞차만 보고 운전하기 때문입니다. 그리고 한발 더 나아가 주차된 차에서 문이 열릴지 주의하고, 인도에서 자전거를 타는 사람이 도로로 진입하는지 등 모든 주변상황에 큰 그림으로 관찰하고, 인지하라는 것입니다.

세번째는 Keep Your Eyes Moving. 눈을 계속 움직이라 는 말입니다. 앞쪽 차만 응시하면서 멍하게 운전하지 말라는 말이죠!! 두번째와 좀 겹치는데, 계속해서 주변을 모니터닝하면서 운전하라는 거죠!! 이것은 졸음 운전을 방지하는데도 도움이 될 것 같아요!! 어떤 경우는 사고난 장면을 보다가 사고를 내는 경우도 있습니다. 이 법칙에서는 구체적으로 2초 이상 한 곳을 응시하지 말라고 합니다. 다소 과장된 면도 있지만 결론은 한 곳을 응시함으로 파생하는 여러 문제들을 줄여야 한다는 것입니다.

네번째는 Leave Yourself an Out. 이것은 운전할 때 다른 차와 공간을 확보해라는 의미입니다. 주변에 위험한 상황이 발생하지 않도록 공간활용을 잘 하라는 것이죠!! 예를 들면, 대형트럭이 주변에 있다면 속도를 느추어서 먼저 보내던지, 차선을 변경하던지, 혹은 빨리 추월하든지 해서 자신의 차 주변 공간에 위험을 줄이라는 말입니다. 그리고 앞쪽에서 차선 변경하기 위해 깜박이를 켠 차량이 있으면, 속도를 줄여주던지, 치고 나가던지, 아니면 본인이 차선을 변경하든지 해서, 자신의 차량주변을 안전한 공간으로 만들어라는 의미입니다.

다섯번째는 Make sure They See You 입니다. 이것도 정말 중요한데요!! 한마디로 컴뮤니케이션 시그널을 잘 사용하라는 말입니다. 다른 운전자가 본인의 의사를 정확하게 볼 수 있게 정확한 신호를 보내라는 것입니다. 차선변경을 할 때는 깜빡이를 미리 정확하게 켜야한다는 것이죠!! 때로는 경적을 통해 정확하게 경고 싸인도 보내야 합니다. 그리고 먼저 가라고 수신호를 할 때도 아이컨택을 하면서 정확하게 사인을 보내야 합니다. 서로 양보하려다 신호를 잘못 보내거나, 잘못 해석해서 접촉사고나는 경우도 왕왕 있습니다. 그리고 미국과 한국의 싸인중 완전히 반대경우가 하나 있는데요!! 그것은 상향등을 깜박이는 것입니다. 한국에서 상향등을 깜박이면 "다른 차에게 경고를 하면서 나 지나간다" 뜻이죠!! 그런데, 미국에서는 반대로 "내가 너를 보고 있어, 양보할테니, 어서 지나가" 라는 의미입니다. 미국에서 운전할 때 헷갈리면 사고가 날 수 있으니 주의 하시기 바랍니다.

위에서 Smith system 의 5 가지 법칙을 알아보았는데 간단히 한 문장으로 줄이면 "멀리보고, 360 도 자신의 차 주위를 관찰하며 정확하게 소통하라" 이렇게 말할 수 있을 것 같아요!! 5 가지 법칙을 잘 적용해서 안전운전 하시길 바랍니다.

그럼 이제 안전운전을 위한 두번째 법칙 도로의 1/3 에 대해 알아보겠습니다. 운전을 하다보면 한쪽 차선으로 쏠려서 운전하는 사람들을 종종 보는데요!! 보고 있으면 좀 불안합니다. 내 차선으로 넘어올 것 같기도 하고요!! 어떤 사람은 왼쪽 차선에 붙어가고, 어떤 사람은 오른쪽 차선으로 붙어갑니다. 결국 이런 사람들은 자신의 차를 차선 중앙으로 운전하는 법을 모른다는거죠!! 제가 한번은 Toll gate 에서 Tractor Trailer가 Toll gate를 제대로 통과하지 못하고, 한쪽 콘크리트 구조물을 박는 사고를 보았는데요!! 여러가지 원인을 생각할 수 있겠지만, 제가 생각하는 근본적인 이유는 사고를 낸 Tractor Trailer 운전자가 초보여서 자신의 차량을 차선 중앙으로 운전하는 방법을 몰랐기 때문이라고 생각합니다. 그럼 어떻게 차를 도로의 차선 중앙으로 운전할 수 있는지 살펴보도록 하겠습니다.

첫째로 이해할 것은 여러분의 운전석은 차의 중앙이 아니라 왼쪽 대략 ⅓(대략)에 있다는 사실입니다. 만약 운전석이 차의 중앙에 있다면!! 여러분은 여러분의 정면시선이 차선의 중앙에 따라 운전하면 여러분의 차는 차선의 중앙으로 가게 되겠죠!! 그런데 실재 여러분의 운전석은 왼쪽으로 대략 1/3지점에 있습니다. 그러므로 여러분의 정면시선이 차선의 대략 1/3을 따라 운전해야 여러분의 차는 차선의 중앙으로 가게 된다는 것입니다. 다시 말해서 운전자의 위치는 차의 중앙이 아니라 왼쪽 운전자석에 앉아 있기 때문입니다. 이 사실을 바로 이해하는 것이 자신의 차를 차선 중앙으로 운전할 수 있는 법을 배우는 알파이자 오메가입니다.

그러면 내 차가 차선의 중앙을 달리고 있는 것을 어떻게 알 수 있을까요? 네, 대답은 간단합니다. 바로 사이드 미러(한국에서 보통 백미러라고 부름)를 통해서 확인할 수 있죠!! 운전을 하면서 양쪽 사이드 미러를 통해서 차선과 내 차체 혹은 차바퀴의 공간이 같으면 내

차는 차선의 중앙을 달리고 있는 거죠!! 이때 중요한 것이 정면을 주시할 때 나의 시선이 차선의 어느 지점에 있는지 시야지점을 캐치하는 일입니다. 그리고 여러번의 확인과 연습과정을 거치면, 더 이상 사이드 미러를 볼 필요 없이 여러분이 설정한 시야지점(대략 왼쪽 1/3)만 보고 운전하면 내 차는 차선 중앙으로 달리게 되는 거죠!!

정리하면, 운전자는 차의 중앙이 아니라 대략 왼쪽 1/3 지점인 운전석에 앉아 운전합니다. 그러므로 정면으로 차선을 볼 때 대략 차선의 왼쪽 1/3 시야지점을 따라 운전할 때 차는 도로의 중앙으로 가게 된다는 것입니다. 그것을 확인하면 방법은 양쪽 사이드미러를 번갈아 보면 되는 거죠!! 몇 번 연습을 하면 자신만의 시야지점을 찾을 수 있을 것입니다. 그러면 그 시야지점 대략 왼쪽 1/3 지점만 정면으로 바라보고 가면 내 차는 차선의 중앙으로 달리게 되는 것이죠!! 참 쉽죠잉!! 잘 찾으시고, 잘 적용해서, 안전운전하시길 바랍니다!!

Rest area#5 LTL VS FTL

미국에서 트럭커로 일하다보면, 가끔 LTL 과 FTL(FL)
이라는 용어를 보거나 듣게 되는데요!! 좀 애매모호합니다. 그래서
이것들이 어떤 특징이 있고, 어떻게 다른지 알아보도록 하겠습니다.

기본적으로 LTL 과 FTL 은 trucking Company 운송회사를
구분하는 용어인데, 예를 들어 제가 다니는 Old Dominion 은 LTL
회사이고, 이전에 제가 다녔던 JB Hunt 는 대표적인 FTL 회사가
되겠습니다. 먼저, LTL 은 less than truckload 의 약자인데요!! 영어가
와닿지 않습니다. 기본적으로 적은 양의 물건을 받아, 재분배해서
물건을 운송하는 회사라고 보면 될 것 같고요!! FTL 은 full truckload
freight 의 줄임말이 되는데, 기본적으로 많은 양, 주로 bulk 로 물건을
운송하는 형태라고 이해하면 되겠습니다. 가장 직관적으로 이 두
용어를 구분할 수 있는 것은 물건을 재분배하는 터미널이 있느냐
없느냐에 따라 있으면 LTL 이고, 없으면 FTL 이라고 보시면 이해하기
쉬울 것입니다.

그럼, Shipper 들은 어떤 기준에서 LTL 회사와 FTL 회사를
선택하게 될까요? 먼저, 화물양에 따라서 살펴보면, Small business 를
하는 회사는 물건양이 적으니, Trailer 전체 통째로 빌리면 손해잖아요!!
그래서 예를 들어, 몇 Pallet 소규모로 물건을 픽업하고 딜리버리를
해주는 LTL 회사를 선택하게 되는 것이고요!! 반대로 화물양이 많은

대형회사 Big Company 는 Trailer 를 통째로 빌려서 운반하면 단가가 좀 싸겠죠!! 그래서 대형회사는 당연히 FTL 회사를 통해 물건을 운송합니다.

누가 화물을 빠르게 운송할 수 있을가요? 측면에서 보면, 일반적으로 말해서 FTL 이 LTL 보다 빠르다고 말할 수 있습니다. 왜냐하면, 기본적으로 LTL 은 픽업한 물건들을 터미널로 가져와 다시 재분해서 같은 주, 같은 지역으로 가는 물건을 한 트레일러에 넣어 보내게 됩니다. 그런데, FTL 은 Shipper 가 물건을 실어주고, 보통 Seal 를 하면 그것을 곧바로 Consignee(수취인)에게 바로 운송해 주게 되니, FTL 이 LTL 보다 빠르다고 말할 수 있습니다.

그럼럼 LTL 과 FTL 중 누가 화물을 안전하게 운송하는가? 질문을 던지면, FTL 이 보다 안전하다고 말할 수 있습니다. 왜냐하면 LTL 은 말씀드린대로 일단 픽업한 물건을 터미널에 가져와 재분배해야 하잖아요!! 이 과정에서 문제가 발생할 소지가 많다는 것이죠!! 예를 들어, Trailer 에서 물건을 꺼내고, 넣을 때 Dock worker 들이 Forklift(지게차)를 사용하면서, 물건을 파손하거나, 데미지를 입히는 경우도 발생하고, 물건을 잘못 분배해서 엉뚱한 곳으로 물건이 배달될 수 도 있다는 것이죠!! 그런데, FTL 은 Shipper 에서 물건을 받아, Seal 를 한 다음 곧바로 Consignee 에게 운송해 주기 때문에 보다 안전하게 화물을 운송할 수 있게 되는 거죠!!

그러면 어느 정도의 화물양으로 LTL 과 FTL 를 구분할 수 있을 까요? 네, 어떤 곳에서는 6 pallet 기준으로 6 pallet 보다 적으면 LTL, 6 pallet 보다 많으면 FTL 이라고 하는데요!! 현역에서 일하는 저 입장에서는 현실적이지 않는 것 같습니다. 제가 일하는 OD 가 LTL 회사지만 우리도 한 Trailer 가득찬 Bulk 도 픽업하고 딜리버리합니다!! 제 생각에는 기본적으로 Shipper 와 운송회사가 어떻게 계약하는가에 달려 있고, Trailer 전체를 다 빌리지 않는다면 LTL 이라고 보면 될 것 같습니다.

22 장 회사와의 관계(디스패치와 매니저)

　　사람사는 세상은 어디나 비슷하면서도 조금은 다른 것 같습니다. 그래서 인간관계가 참 힘들죠!! 미국문화가 개인주의가 강한 것 처럼 미국의 회사문화 또한 개인적 성향이 강합니다. 너무 걱정할 필요는 없고요!! 주어진 룰만 잘 지키면 크게 간섭하거나 무리한 일을 시키지 않는 것 같습니다. 그런데 책임에 대해서는 상당히 민감한 것 같습니다. 그래서 본인의 책임이 아니면 별 상관하지 않고, 본인의 책임이면 아주 강한 반응을 보입니다. 그래서 회사의 관계자와 소통할 때는 주어진 룰안에서 상식적으로 대하면 됩니다. 한국에서는 태도와 말투 등이 중시되지만 미국에서는 어떤 행위가 누구의 책임인가? 라는 사실에 초점을 맞춥니다. 그러므로 미국트럭회사에서 일하면 자신의 책임을 다하면 큰 문제없이 생활 할 수 있습니다. 어쨌든 사람사는 곳이니 좋은 것이 좋은거죠!! 그래서 본인 책임은 아니지만 도와 줄 수도 있고, 도움을 받을 수도 있습니다.　Give and take 죠!! 때때로 회사에서 어떤 로드나 어려운 일을 부탁할 때가 있습니다. 트럭커가 반드시 해야하는 일이 아닐 경우나, 거부할 수 있는 경우가 있습니다. 하지만 이때 회사의 부탁을 들어주면, 다음에 본인이 급할 때 부탁을 할 수 있겠죠!! 때로 어떤 문제에 직속상관 디스패치나 매니저가 안된다고 하면 상위 매니저에게 직접 부탁할 수 도 있습니다. 급하게 Day Off(휴일) 해야할 경우나 다양한 응급상황에서 도움을 받을 수 있으니 유연하게 대처하면 좋을 것 같습니다.

컴퓨터의 발달로 회사는 트럭커가 하는 일에 대해 모든 것을 모니터링하고 있습니다. 예를 들어, 회사는 트럭커가 어떻게 브레이크를 밟았는지, 시간을 어떻게 활용하는지, 배달시간을 잘 지키는지 등 모든 것을 모니터하고 데이타를 가지고 있죠!! 특별히 디스패처는 트럭커가 하는 일을 잘 이해하고 있습니다. 전직 트럭커인 경우도 많습니다. 그러므로 거짓말은 잘 통하지 않는다는 사실을 알 필요가 있습니다. 그리고 LTL 같은 경우 차가 건물에서 얼마 만큼 떨어져 있는지도 알 수 있습니다. 그래서 차를 정차하고 마냥 쉬면 그곳에서 얼마나 머물렀는지, 왜, 픽업이 언제 끝났는지, 딜리버리를 언제 끝난는지 등을 추궁받을 수 있습니다. 이때 거짓말이 통하지 않는다는 것을 명심해야 합니다. 회사는 차량의 모든 데이타, 차량의 위치, 수취인과 수신인의 정보를 다 가지고 있습니다. 어떤 경우에는 일반회사에서 트럭회사로 전화를 하기도 합니다.

"물건을 다 실고 Load 가 끝났는데, 너네 운전자가 밖에서 계속 쉬고 있어!!"

이런 식으로 말입니다. 일반회사에서 간혹 이렇게 하는 이유는 상하차를 하는데 일정시간을 초과하면 그것에 대해 돈을 내야하기 때문입니다. 다시 말해서 운전자가 받는 detention time pay 를 그 회사가 부담하기 때문입니다. 그러므로 어떤 Load 를 마치면 10-15 분

정도까지는 스트레칭도 하고 간식도 먹고 좀 여유를 가지고 다음 Load 를 위해 움직여야 합니다. 그 정도는 회사에서도 다 이해합니다. 그러므로 슬기롭게 시간을 잘 활용할 필요가 있습니다.

회사와 연락하는 방법은 전화와 text 가 있는데, 개인적으로 text 가 좋은 것 같습니다. 왜냐하면 언제든지 보낼 수 있고, 받을 수 있고, 생각을 정리한 후 반응할 수 있기 때문입니다. 그리고 어떤 상황에서는 증거로 사용할 수도 있습니다. 특별히 숫자 같은 것은 전화로 하면 헷갈릴 수 있으므로 text 를 통해 소통하는 것이 더 좋을 수 있습니다.

어떤 경우에는 직속상급자를 뛰어넘어 상위 매니저에게 요청을 하거나 부탁이나 컴플레인(complain)을 할 수 있습니다. 본인이 판단하기에 합리적인 선인데 직속상급자가 들어주지 않거나 부당한 압력이 작용할 때 그렇게 할 수 있다는 말입니다. 일단 직속상관에게 최대한 나이스하게 대하고, 꼭 필요한 일이나 급할 때 매니저에게 말을 할 수 있습니다. 너무 자주하면 약빨이 안서겠죠!! 미국회사도 사람들이 일하는 곳입니다. 주어진 일 정확하게 하고 상관과 동료에게 나이스하면 좋은 피드백이 올 것입니다.

23장 트럭킹 영어(Trucking English)

미국살이에서 영어는 언제나 숙제이고, 스트레스입니다. 나이가 좀 들어서 미국이민을 온 사람에겐 더욱 그렇겠죠!! 영어를 빨리 정복해야겠다는 큰 희망보다 생존하기 위해 영어를 대충 익혀야 겠다고 생각하는 것이 좋을 것 같습니다. 트럭커잡은 미국에서 3D 직종이라 할 수 있습니다. 미국사람들도 점점 기피하고, 이민자들이 많이 하는 잡이라 볼 수 있죠!! 그래서 트럭킹 캄파니에서 높은 수준의 영어를 기대하거나 요구하지 않습니다. 대충 의사소통할 수 있으면 되겠죠!! 그런데 그 대충이 어느정도인지 말하기는 쉽지 않습니다. 하지만 영어울렁증 때문에 미국 Major 트럭회사를 포기하는 것보다 용기를 내어 도전하는 것이 좋다고 생각합니다. 왜냐하면 일반적으로 말해서 한국계 회사보다 베네핏(수입포함)이 더 좋기 때문입니다.

영어울렁증에 대해 한마디 하면, 너무 영어에 주눅 들 이유가 없다는 사실입니다. 농담으로 "영어 하나만 사용할 수 있는 사람"이 바로 미국인 입니다. 다른 언어를 사용할 필요가 없을 만큼 미국이 강대국이란 의미와 미국애들이 무식하다는 것을 풍자하는 말이죠!! 적어도 미국에 이민온 사람들은 영어가 두번째 언어가 되잖아요? 그러므로 주눅들지 말고, 자신감을 가지고 도전해보는 거죠!!

자 그럼 트럭커가 가장 기본적으로 알아야 할 영어표현을 살펴볼까 하는데요!! 트럭커가 영어를 사용해야 할 기본적인 상황은 물건을 픽업할 때와 딜리버리할 때가 되겠죠!! 그래서 두 경우 픽업과 딜리버리로 나누어서 트럭킹 영어를 알아보도록 하겠습니다.

픽업할 때 쓸 수 있는 표현 When Picking up

픽업을 가서 이런 말을 할 수 있겠죠!!

"안녕하세요!! 아마존에서 픽업 왔습니다."이것을 영어로 간단하고 자연스럽게 표현하면 이렇습니다.

"Hello, Amazon, picking up!" 이렇게 말하면, 아주 간단하지만 충분히 의사를 전달할 수 있습니다.

조금 더 살을 붙이면 이렇게 말할 수 있습니다.

"Good morning, guys! I am picking up 7 pallets going to Edison, New Jersey."

Good morning!, Hello!, Hi!. What's up? How is it going? 아무거나 인사하시면 되고요!! I am 은 써도 되고, 안써도 되구요!! 가장 중요한 단어는 picking up 입니다. Pick up 이란 단어는 일상생활에서도 많이 사용하는데요!! 피자를 시키고 찾으러 가서 "I am picking up a pizza.!! Picking up a pizza!라 할 수 있고요!! 사람을 데릴러 가는 것도 pick up 를 사용하는데요!! 누가 날 데리러 올거야? "Who's gonna pick me up?"

물건을 실는 나무판대기를 Pallet 혹은 skid 이라고 하고요! 픽업을 가면 종종 행선지 destination 을 묻는 경우 있는데요! 이때 going to 다음에 장소를 붙이면 됩니다.

"안녕하세요! 뉴저지 에디슨으로 가는 7 상자 픽업왔습니다." "Hi, guys, I am picking up 7 pallet going to Edison, New Jersey." 꼭 기억할 key word 는 picking up! 입니다.

다음은 픽업을 가서 warehouse 에 들어가서 트럭을 대기 전에, 직원에게 묻는 경우입니다!! "

"차를 어디에 댈까요?"

"What door should I go to?" "Back in door 7, please!"

"차를 어디다 댈까요? 7 번에 대세요!"

"What door do you want me to back in?"

Back in(후진해서 파킹하라)단어는 많이 사용하고, 들을 수 있으니 꼭 기억하시길 바랍니다. 그런데 What door should I go to? 라고 물었는데 Shipping 담당자가 이렇게 말할 수 있겠죠!! "차 없는데 아무데나 대세요!!" 그것은 영어로 "Wherever it's open", "back in there!" 이렇게 표현합니다. 이 말은 알아들으면 되겠죠!!

또 다른 상황은 픽업을 갔을 때, 어떤 곳은 운전자가 창고 (warehouse)에 들어오게 하고, 어떤 곳은 운전자에게 트럭에서 기다리라고 하는데요! 이 때 물을 수 있는 표현입니다.

"Should I come in or stay in the truck?"

"트럭에서 대기할까요 들어갈까요?"

"You can stay in your truck", "when we are done", "we'll call you."

"트럭에 계세요!! 끝나면 전화할께요!"

다음은 픽업해야할 물건이 어디정도 되는 지 물을 때 사용할 수 있는 표현입니다.

"오늘 물건이 어떻게 되나요?"

"How many pallets do you have for me today?"

아니면, 저는 주로 더 짧고 간단하게

"How many you got? today!"를 사용합니다. 원래 정식문장은 How many pallets have you got?인데, 보통 pallets과 have를 생략하고 "How many you got? Today!!" 이렇게 질문하면 됩니다.

그리고 중요한 표현 하나를 더 살펴보면, "Can you load it Side way, please?" 인데요!! 그냥 짧게 "Side way, please" 할 수 있는데요!! 이것은 정말 실제적인 Trucking English 라고 할 수 있는데요! 설명을 좀 드려야 이해할 수 있을 것입니다. Trailer마다 파렛(pallet)을 실을 수 있는 공간은 기본적으로 한정되어 있겠죠!! 예들 들어 53 feet Trailer은 보통 24-26 pallet를 실을 수 있는데, 이것은 파렛을 스트레이트(세로가 긴 방향으로) 경우입니다. 그런데 만약 물건이 28 pallet이라고 한다면 한꺼번에 다 실을 수 없겠죠!!

그런데 이때 물건을 Side way(가로가 긴 방향으로)로 실으면 더 많이 실을 수 있다는 거죠!! 파렛의 사이즈에 따라 좀 달라지겠지만 Side way로 물건을 실으면 대략 28-30 pallet까지 한 번에 가능하다는 것입니다. 그래서 이런 상황이 발생하면 Loading guy(물건을 싣는 사람)에게 이렇게 말할 수 있겠죠!!

"Can you load it side way, please?"

상황이 이해가 잘 안되면 저의 영상 미국 트럭커의 모든 것 #7.1과 #7.2을 참고하시기 바랍니다. Key word는 반드시 숙지하시고, 자신있게 말하면 되겠습니다. 그리고 Shipping 담당자가 대답하는 것도 key word 만 알아들으면 되겠죠!! 잘 못 들 었거나 이해가 안되면 "what's that?" "what is it?" "뭐라꼬?" 하면 한번 더 말해 줄 것입니다. 너무 주눅들 필요가 없습니다. 너는 한국말 전혀 모르지!! 나는 영어가 좀 서툴다!! 이해 해라!! 이렇게 생각하면 되겠습니다.

딜리버리 갔을 때 표현 when delivering

기본적인으로 배달표현은 픽업갔을 때랑 비슷한 부분이 많은데요!! 안녕하세요! 아마존에서 픽업왔습니다. 어떻게 영어로 말하는지 기억하시나요? "Hello, Amazon, picking up!" 이었죠!! 네, 딜러버리도 기본구조가 같은데요!! Picking up 대신 dropping off 사용하면 됩니다.

"안녕하세요! 아마존에서 배달왔습니다."

"Hello, Amazon, dropping off!!"

다음 기억하시나요? 차를 어디다 될까요? "What door should I go to?" 그러면 차 없는데 아무데나 대세요!! 기억하시나요? 네, "Wherever it's open, back in there!!"

그리고 보통 물건을 싣고 내릴때, Tandem 를 뒤로 끝까지 밀고, 트랙터를 트레일러와 분리하라고 합니다. 이 때 상대방이 보통 이렇게 말하죠!!

"Slide tandem all the way back and detach the Trailer, please!"

이 말은 쓸일은 없고 들어서 이해하면 되겠죠!! Key word 는 **slide** 와 **detach** 입니다. Detach 는 disconnect 와 같은 뜻입니다.

다음 시츄에이션은 배달장소에서 화장실을 좀 써야 될 때 묻는 질문입니다.

"화장실을 좀 쓸 수 있을까요?"

조금은 나이스하게 "Do you mind if I use the restroom here?"

아니면 "Can I use the restroom here?"

픽업할 때와 똑같은 상황인데요! "Warehouse 에 들어갈까요? 차에서 기다릴까요?" 기억하시나요? "Should I come in or stay in the truck!"

다음은 창고사람들이 물건을 내리고, 다 내리면 전화주겠다는 상황입니다. 그냥 알아들으면 되겠죠!!

"Please, leave your phone# on your delivery slip! When we are finished, we will call you."

"배달용지에 전화번호 남기세요 끝나면 전화줄게요!!"

다음은, 물건을 다내리고 전화를 받는 상황입니다.

"네, 아마존인데요 물건 다 내렸습니다."

"Hi, this is Amazon, your trailer is completed."

물건을 다 내렸다는 표현은 많은데요!! "Your trailer is completed." 혹은 "your paper is ready." "You're all set", "We are don."등과 같이 표현할 수 있습니다. 일이 끝났으니 페이퍼 찾으러 오라고 전화올 때, 대충 듣고, 이런 표현이 나오면 그냥 "OK, coming, thanks!!" "그래, 갈께, 고마워요!!" 하고 전화 끊고 페이퍼 찾으러 가면 됩니다.

참 영어란 놈!! 까칠해요!! 친해지기 힘들어요!! 그렇지만 생존을 위해서는 할 수 없죠!! 너무 친할 필요는 없고 생존할 수준으로 … 영어가 까질해도 주눅들 필요가 없다는 말입니다. 발상을 전환해서 미국트럭회사에 입사해서 영어를 배운다고 생각해도 좋을 것 같습니다.

24장 Benefit 의 이해하기: 주급, 의료보험, 401K, 유급휴가

미국 트럭커의 Benefit 중 가장 대표적인 것은 임금, 의료보험, 401K, 유급휴가(PTO)일 것입니다. 당연히 회사마다 차이가 있겠죠!! 모든 회사들을 소개할 수 는 없으니 제가 현재 일하는 ODFL 를 중심으로 4 가지 베네핏을 살펴보도록 하겠습니다.

24.1 임금(Pay)

ODFL 에는 크게 세 종류의 driver 가 있습니다. P&D driver, Linehaul driver, Combination driver 있는데, 그 중 P&D driver 와 Linehaul driver 의 임금에 대해 알아보겠습니다. 먼저, P&D driver 는 Pickup 과 Delivery 의 약자로 주로 낮에 일을 시작하는 운전자인데, 대부분 시간당 RPH(rate per hour) pay 를 받습니다. 현재 제가 아는 바로는 Entry level(입사시 받는 수준)은 대략 $29.00 정도이고, Top level 은 $35-36.00 정도입니다. Entry level 에서 top 레벌까지 올라가는데 걸리는 시간은 3 년으로 알고 있습니다.

P&D driver 는 1 년에 두번 시급이 올라갑니다. 한번은 매년 자신의 입사일에 주급인상이 있고, 예을 들면, 제가 2019 년 5 월 5 일에

OD에 입사를 했다면 2020년 5월 5일에 되면 얼마, 정확한 것은 아니지만 대략 50-60cent 전후로 올려줍니다. 그리고 일년에 한번 9월에 전체 driver의 시급이 인상됩니다. 제 경험으론 대략 $1불 정도 주급 인상되었던 것 같습니다. 그리고 전체적으로 안전수당이랄까 보너스 같은 것이 일년에 $1-2000불 정도 있습니다.

대략 5일동안 대략 11시간 정도 일한다고 가정하고, 시급이 30불이라면, 11*30*5*52=$85,800을 벌 수 있습니다. 따라서 P&D driver의 평균 연봉은 $85,000-90000 정도로 생각하면 무난 할 것 같습니다.

다음은 Linehaul driver인데요!! Longhaul driver 라고 하기도 하는데요!! 이 양반들은 P&D driver가 pickup한 물건들을 다른 주로 이동시키는 운전자인데, 주로 밤에 일을 시작하는데, 마일당 (CPM)으로 돈을 받습니다. 제가 알기로는 Entry level이 대략 0.70 cent이고, Top은 0.75 cent 정도 입니다. 엔트리 레벨에서 탑까지 올라가는데 걸리는 시간은 대략 2년이라고 합니다. Linehaul driver의 CPM이 어떻게 인상되는지 정확하게는 모르지만 P&D driver와 비슷할 것으로 추측합니다.

Linehaul drivers는 CPM으로 pay를 받으니 달린 만큼 돈을 버는 거죠!! 그래서, 일이 없으면 안되니까 회사에서 주당 개런티하는 보장하는 mile이 있다고 하는데요!! 제가 알기론 2400 miles 입니다.

그러니까 하루에 미니엄으로 대략 500mile 은 달릴 수 있는 거죠!! 그런데 실제로 550mile 은 달린다고 생각하면, 550*70=385 그리고 달리(dolly)를 연결하고 Drop & Hoop 에 16불인데, 보통 하루에 두번을 하니 $32불을 더 버는 거죠!! 그러면, 417*5*52=$108,420 정도가 되는 거죠!!

다시 말씀드리지만 제가 생각하는 대략적인 평균값입니다. 제가 한 Linehaul 운전자에게 평균 연봉을 물어보니, P&D driver 보다 한 20000 만불 정도 더 번다고 하더라고요!! 대충 맞는 말이되는 거죠!! P&D driver 의 평균연봉을 $85,000 으로 말씀드렸잖아요!! 그런데 Linehaul driver 의 평균연봉이 108,420 이라면 거의 맞아 떨어지는 거죠!! 분명히 Linehaul driver 가 P&D driver 보다 많이 법니다. 그런데 밤에 시작하여 다음 날 아침까지 일하기 때문에 저는 개인적으로 선호하지 않습니다!! 그런데 올빼미 생활에 자신 있는 젊은 사람이라면 함 도전해 볼만 할 것 같습니다.

24.2 의료보험(Medical Insurance)

미국의료보험제도는 굉장히 복잡하고 미국을 좀먹는 시스템중의 하나인 것 같습니다. 오바마 대통령을 비롯해서 의료보험을 개혁하려는 많은 시도가 있었지만 많은 이익집단에 의해 결국 실패로 돌아 갔죠!! 어쨌든 미국 트럭커가 되면 회사에게 의료보험을 제공받게 될 것인데 어떤 의료보험이 자신에게 맞는지 선택할 때 고려해야 할 간단한 팁을 살펴보겠습니다!!

첫째, 각 회사에서 제공하는 의료보험이 어떤 타입의 의료보험인지 알 필요가 있고, 만약 선택을 해야한다면 어떤 것이 본인에게 유리한지 어떤 타입이 좋은지 알아야겠죠!! 미국의료보험은 크게 PPO(Prefered provider organization)과 HMO(Health maintenance organization) 두 타입으로 나눌 수 있습니다. 가장 큰 차이점은 PPO는 본인이 원하는 병원 어디나 가서 진료를 받을 수 있다는 것이고, HMO는 보험회사에서 지정한 곳에서만 진료를 받을 수 있다는 거죠!! 병원선택의 폭과 편리함에서 보면 PPO가 HMO 좋습니다. 따라서 반대급부로 PPO의 보험료가 높게 책정 되겠죠!! 어떤 회사는 둘 중 하나를 미리 선택한 경우도 있고, 어떤 회사는 본인이 선택할 수 있는데 두 가지 장단점을 잘 비교해서 본인에게 유리한 것 선택하면 되겠습니다.

둘째, 대부분의 회사에서는 보통 몇 가지 선택 옵션을 줍니다. 가장 중요한 것은 어떤 옵션이 본인에게 유리한지 좋은지를 선택해야 한다는 거죠!! 예를 들어, A 옵션과 B 옵션이 있는데, A 옵션은 매주 내는 보험비용이 B 옵션보다 많지만 병원에 갈때 내는 Copay 비용이 B 옵션보다 적어요!! 그런데 B 옵션은 반대로 매주 내는 보험비용이 적지만 병원에 갈 때 내는 copay 비용이 좀 많아요!! 이럴 때 A 와 B 옵션중 어떤 것을 선택하는 것이 본인에게 유리한지 좋은지 선택해야 하는데, 쉽지 않죠!! 가장 기본적인 기준은 본인의 건강상태겠죠!!

건강상태가 부실해서 병원에 자주 간다면 A 옵션이 유리할 수 있겠죠!! 매주 조금 더 내더라도 병원에 갈 때 Copay를 적게 내는 것이 좋을 수 있다는 것입니다. 그리고 비교적 건강해서 병원에 갈 일이 별로 없으면 B 옵션이 유리하다고 할 수 있겠죠!! 평소 보험비용을 적게 내고, 병원에 갈 때 Copay를 많이 내는데, 건강해서 병원에 갈 일이 없으면 보험비를 절약할 수 있다는 거죠!! 이 점을 감안해서 의료보험을 선택할 때 참고하시면 되겠습니다.

보통 트럭회사에 입사하면 1-2달 후에 의료보험을 적용받게 됩니다. 특별히 이직을 할 경우에 **Cobra** Insurance라는 것이 있습니다. 예를 들어, A라는 회사에서 B라는 회사로 이직을 했을 경우, B회사의 의료보험을 받으렴 1-2달이라는 시간이 걸리는데 그 동안 의료보험이 없는 상태가 되잖아요!! 그래서 cobra insurance가 있어서 2달동안 이전 A회사의 의료보험을 연장해서 사용할 수 있습니다. 문제는 비용이 이전에 비해 많게 된다는 건데요!! 이유는 간단합니다. 이전에서 트럭커가 A회사에 직원이었기에 회사가 일정부분을 부담했고, 본인은 본인부담만 내면 되었는데, 이제 A 회사의 직원이 아니잖아요!! 그래서 본인부담금액과 회사가 부담했던 금액을 모두 본인이 내어야 한다는 거죠!! 나름 합리적인 거죠!! 그런데 Cobra는 필수가 아니라 선택이니 본인이 상황에서 연장하는 것이 좋은지 아닌지 판단하시면 되겠습니다.

어떤 의료보험을 얼마만큼 회사가 부담하는지는 회사마다

다릅니다. 그것에 따라 트럭커가 내는 보험비용도 달라지겠죠!! 예를 들어, 이전에 다녔던 JB HUNT 는 Blue Shield 의료보험이였고, 50% 부담(확실치 않음) 대략 매주 $110 정도였죠!! 그런데 현재 Old Dominion 에서는 United Health Care 의료보험을 제공하는데 회사부담이 70%입니다. 그래서 4 인가족 전제 비용으로 매주 $58 정도를 내고 있습니다. 미국 사람들도 미국의 의료보험을 잘 이해 못합니다. 그 만큼 복잡하다는 말이겠죠!! 그러므로 위에서 살펴본 몇 가지 팁과 정보들을 토대로, 구체적인 자신의 상황을 잘 적용해서, 어떤 것이 본인에게 유리한 의료보험인지 잘 선택하시기 바랍니다.

24.3 개인은퇴연금(401K)

401K 는 한마디로 말해서 개인은퇴연금입니다. 그러므로 401K 는 개인의 선택이죠!! 많은 재테크 전문가들은 직장인이라면 401K 를 반드시 가입하는 것이 좋다고 말합니다. 왜 그럴까요?

왜냐하면 트럭커 개인이 401K 에 가입하면 회사에서 일정비율의 금액, 그것을 영어로 Matching contribution 혹은 Matching fund 을 공짜로(중요함) 지원해주기 때문입니다. 그럼 얼마나 보태줄까요? 회사마다 다르죠!! Old Dominion 을 예로 들어 살펴보도록 하겠습니다.

For every dollar you contribute, up to 6% of your weekly salary, old dominion will match $.50. This is the guaranteed match.

편의상 제가 주급(weekly salary)을 $1000 받는다고 하면 제가 받을 수 있는 최대금액은 $60 불(up to 6%)이 되는 거죠!! 그런데 Old Dominion은 그것에 50%($.50)만 매칭해주니 결국 $30이 회사에서 매칭해 주는 최대 공짜 금액이 되는 거죠!! 그래서 만약 제가 주급의 10%을 401K에 넣는다면, 내 개인의 돈 $100과 회사의 매칭최대금액 $30이 합쳐진 $130불이 제 401K에 적립되게 되는 것입니다. 그런데 회사에서 매칭해준 금액은 일정기간을 지나야 그것도 일정부분이 나의 진정한 자산이 되는데요!! 그것을 영어로 **"VESTED"**되었다고 합니다. 예를 들어, 2년이하로 근무하고 퇴직하면 그 동안 받은 회사의 매칭금액은 한푼도 받지 못합니다. 3년이면 그것에 20%을 4년이면 40%을 5년이 지나면 60%, 6년이 지나면 80%, 7년이 지나야 100%을 온전히 받을 수 있다는 말입니다.

401K에 대한 정책은 회사마다 다릅니다. 캄파니 드라이버로 일하는 트럭커라면 401K에 가입하는 것이 좋다고 생각합니다. 왜냐하면 회사에서 일정한 돈을 공짜로 매칭해 주기 때문입니다.

24.4 유급휴가(Paid Time Off)

캄파니 드라이버의 가장 강력한 베네핏중 하나는 바로

유급휴가입니다. 돈을 받으며 쉴 수 있다는 말입니다. 미국 대부분의 회사에서 휴가를 사용하는 것에 전혀 눈치를 볼 필요가 없는 것 같습니다. 일반적으로 휴가를 2주 전에 신청하면 가장 좋고, 갑자기 발생한 일 때문에 다음 날 쉬어야 하는 것도 휴가를 신청할 수 있습니다. 그리고 아침에 일어났는데 몸이 안 좋거나 어떤 일이 발생해서 출근을 할 수 없을 때는 자신이 일을 시작하는 시간보다 1시간 전에 전화하면 됩니다. 기본적으로 특별한 이유가 없는 한 본인이 원하는 시간에 휴가를 사용할 수 있습니다. 물론 특정한 날에 휴가를 신청한 사람이 너무 많으면 거부될 수 있죠!!

기본적으로 유급휴가에 대한 정책은 회사마다 다릅니다. OD의 유급휴가는 크게 2가지로 나눌 수 있는데 첫째는 공휴일이고, 둘째는 개인용도의 유급휴가입니다. 공휴일은 New year's day(신정), Memorial day(현충일), Independence day(독립일), Labor day(노동절), Thanksgiving day & after Thanksgiving(추수감사절과 다음날), 그리고 Christmas eve & Christmas day(크리스마스 이브와 크리스마스)으로 8일을 쉬게 됩니다. 크리스마스와 추수감사절 전후의 날도 쉬는데 이거 꿀맛입니다. ㅎㅎ

개인용도의 유급휴가 PTO는 경력에 따라 다릅니다. 예를 들면, 1-4년까지는 108 hours을 받게 되고, 5-14년 153 hours를 받고, 15-24년은 198 hours를 받게 됩니다. 25년 이상은 243 hours를 받습니다. 그리고 5년 이상부터는 일정량의 휴가를 돈으로 바꿀 수 있습니다. 예를 들면, 5-14년 까지는 63시간에 한해 휴가를 사용하지 않고 돈으로 바꿀 수 있다는 것이죠!! 하루 day off은 9시간을 사용합니다. 그러므로 1-4년까지 받는 108시간은 12일 정도가 되겠죠!! OD의 경우 개인용도의 유급휴가는 자신이 입사한 날에 한꺼번에 받게 되고, 본인이 알아서 사용하면 됩니다. 그리고 일년에 54시간은 다음 해로 넘길 수(Roll over)할 수도 있습니다.

기본적인 공휴일과 개인용도의 유급휴가에 2가지가 더해지는데 첫째는 장례식 휴가이고 둘째는 생일휴가입니다. 장례식 휴가는 최대 3일을 사용할 수 있는데 개인적으로 장인께서 돌아가셨을 때 사용했습니다. 둘째는 본인의 생일이 되면 생일 휴가를 하루 사용할 수 있는데 한 달이내 아무 때나 사용할 수 있습니다.

모든 유급휴가의 금액은 같습니다. 자신이 받는 시급에 하루 9시간을 곱하면 됩니다. 예를 들어, 지금 저의 시급이 대략 $35.--인데, 하루 Day off를 내면 $35.--*9=$315.--을 받는다는 말이죠!!

그럼 끝으로 제가 현재 받을 수 있는 모든 휴가를 더하면 얼마나 되고, 돈으로 환산하면 얼마쯤 되는지 알아보죠!! 제가 현재 받을 수 있는 PTO는 공휴일 8일+개인용도 유급휴가 12일+생일휴가 1일+장례휴가 3일=24일이 됩니다. 이것을 돈으로 환산하면 하루 Day off $315*24=$7560이 되는 거죠!! PTO에 대한 정책은 회사마다 다르므로 OD는 이렇게 받는구나라고 참고하시면 되겠습니다.

25 장 무게 검사소(Weigh Station) 들고 나기

웨이스테이션은 한마디로 트랙트 트레일러의 무게와 안전규정을 체크하는 장소입니다. 주로 주경계선(State border)에 위치합니다. 대부분은 웨이스테이션은 일반공무원과 주경찰(State police)가 상주하며 일하고 있습니다. 이 장에서는 웨이스테이션과 관련된 사항을 5가지 자문자답으로 살펴보겠습니다.

25.1 어떻게 웨이스테이션을 이용하나요?

도로를 달리다 보면 웨이스테이션에 있는 곳에서 1-2키로, 그리고 몇 백미터 앞에 웨이스테이션이 오픈되어 있는지, 닫혔는지 안내하는 사인이 있습니다. 만약 "closed" 혹은 red(빨간색) 사인을 보면 그냥 통과하면 되고, "open" 혹은 green(초록색)이라는 표시를 보면 웨이스테이션으로 들어가야 합니다. 보통 웨이 스테이션에 들어가면 헤드라이트와 비상등을 켜라는 사인을 보게 됩니다. 지시에 따르면 되겠습니다. 그렇게 하는 이유를 정확하게는 모르겠지만 아마도 무게를 재는 동시에 이것들이 잘 작동하는지 한꺼번에 보겠다는 의도 인 것 같습니다. 보통 줄이 길기 때문에 천천히 운전하며 차례를 기다리면 됩니다. 순서가 되면 천천히(5mph-10mph) 계량기에 올라가서 각 엑셀(axle)의 무게가 잘 재워 질 수 있도록 정차합니다. 어떤 웨이스테이션에서는 방송으로 알려주는 경우도 있습니다.

"앞으로 조금, 정지!!"이런식으로 말이다. 몇 초가 지나면 Go 혹은 Green light 이 뜨면 천천히 이동하여 벗어나면 됩니다. 만약 무게가 오버하게 되거나 문제가 발생하면 Red light 이 뜨게 됩니다. 그러면 일단 웨이스테이션 파킹장으로 이동하며 다른 절차를 밟게 됩니다.

25.2 만약 무게를 초과하면 어떻게 될까요?

만약 저울에 올라갔는데 무게가 오버되면 일단 웨이스테이션 파킹장으로 가게됩니다. 검사소에서 어디가 얼마나 오버되었는지 알게 되면 일단 팬덤을 조정하여 무게 재조정을 합니다. 무게를 재조정후 다시 무게를 잽니다. 만약 통과하지 못하면 티켓을 받게 되는데 재미있는 것은 자본주의 본산답게 티켓의 벌금은 초과된 무게에 비례한다는 것입니다. 그리고 만약 한쪽에 무거운 물건이 실려서 조정 후에도 오버가 되면 특정장소로 가서 물건을 내려야 합니다. 이렇게 되면 다른 트럭이 와서 초과된 물건을 픽업해야하는 복잡한 상황이 연출될 수 있습니다. 티켓은 검사소 직원이 아니라 주경찰이 발급합니다. 어떤 스테이트는 약간의 초과(?)에 대해서 구두경고를 하고 통과시켜 주기도 합니다. 행운을 바라기보다 미리 예방하는 것이 상책이라고 생각합니다.

25.3 어떻게 팬덤(Tandem)을 조절해요?

Each tandem hole = 250 lbs.

각 팬덤 구멍은 250 파운드을 조절할 수 있음

Maximum Gross Weight (Truck/Trailer/Cargo) = 80,000 lbs.

전체 총무게(트럭/트레일러/물건)가 80000 파운드을 넘기면 안됨

Maximum Front Steer Axles Weight = 12,000 lbs. (Front Tractor Axles)

트랙터 앞쪽 바퀴 무게 12000 파운드를 넘기면 안됨

Maximum Drive Axles Weight = 34,000 lbs. (Rear Tractor Axles)

트랙터 뒷쪽 바퀴 무게가가 34000 파운드를 넘기면 안됨

Maximum Trailer Axles Weight = 34,000 lbs. (Rear Trailer Tandem Axles)

트레일러 바퀴 무게가 34000 파운드를 넘기면 안됨

　　이론적으로 이상과 같습니다. 그런데 특정지역에 너무 무거운 것이 실려 있으면 팬덤으로 조절하기는 역부족입니다. 구체적으로 팬덤을 조정하는 방법을 지면으로 전달하기에는 거시기 합니다. 트레이닝을 받을 때 트레이너에게 잘 배우시기 바랍니다. 일단

트레일러의의 무게가 일정량(제 개인적 기준 38000 lbs)을 넘으면 트럭스탑에 들러 무게를 검사하는 것이 좋습니다. 그렇지 않으면 웨이스테이션이 나타날 때 마다 "혹시 오버되면 어쩌지"하고 마음이 졸리게 됩니다. 계속 불안에 하는 것보다 미리 무게를 제크하는 것이 상책이라고 생각합니다!!

25.4 Bypass(통과)가 뭐예요?

Bypass는 전자식으로 웨이스테이션과 소통하는 장치인데 가장 대표적인 브랜드는 Prepass입니다. 트럭은 이 전자장치 (Prepass)을 통해 웨이스테이션과 연락을 합니다. 일단 트럭이 차량의 정보와 차량 무게 등을 송신하고 웨이스테이션으로 부터 통과 여부를 수신받게 되는 과정입니다. 보통 1 mile 전에 웨이스테이션에서는 차량의 Prepass 신호를 읽고 통과여부를 알려줍니다. 트럭에 설치된 Prepass 장치에 green light가 들어오면 그냥 통과하라는 신호입니다.

대략 95%는 green light를 받는다고 볼 수 있죠!! 그런데 5% 정도는 웨이스테이션에 들어오라는 red light 신호를 받을 수 있는데요!! 대부분의 경우 Random check(임의체크)나 특별체크인데 이럴 때는 정상적인 절차에 따라 웨이스테이션을 통과해야합니다!! 이 Prepass의 혜택을 누리기 위해서는 회사(Carrier)와 차량이 평소에 얼마나 교통안전법규를 잘 준수했는지 여부가 중요하다고 합니다.

다시 말해 각 회사의 CSA에 점수가 Prepass에 등록하는 것에 영향을 미친다는 것입니다.

25.5 만약 Bobtailing(트랙터만 가지고 운전시)때 웨이스테이 들어가야 하는가?

일반적으로 yes 이고, 뉴저지에서도 기본적으로 그렇습니다. 그런데 일반적으로 크게 개의치 않는 면도 있는 것 같습니다!! 법적으로는 적어도 뉴저지와 펜실베니아에서는 Prepass가 없다면 웨이스테이션으로 들어가야 합니다. 왜냐하면 웨이스테이션이 차량의 무게만 재는 것이 아니라 때로는 차량을 수색하기도 하고, 마약을 체크하기도하고, 국경근처에서는 혹시 불법이민자등이 있는가를 점검하기도 하기 때문입니다. 각 주마다, 각 웨이스테이션마다 절차가 약간씩 다릅니다. 예를 들어, 어떤 주의 웨이스테이션은 무게를 재고, 다시 주자창에 파킹을 한 후 모든 서류(물건에 관한 서류, 차량에 관한 서류, log에 관한 서류 등)를 들고 사무실로 가서 서류를 검사를 하는 곳도 있습니다. 그러므로 각 웨이스테이션의 지시에 따라 움직이면 되겠습니다.

26 장 트럭이 고장/사고 났을 때 대처하는 법

트럭킹을 하다 보면 시도 때도 없이 크고 작은 고장이나 사고가 발생하기 마련입니다. 이럴 때 어떻게 대처하느냐에 따라 일을 신속하게 재개할 수 있는 여부가 결정될 것입니다. 일단 고장이나 사고가 나면, 너무 당황하지 마시고, 사람의 안전을 먼저 확보하시고, 회사의 매뉴얼에 따라 대응하시면 되겠습니다. 그런데 회사마다 매뉴얼의 절차가 조금 씩 다를 수 있으므로 여기서는 가장 일반적인 대응절차에 대해 간단히 살펴보도록 하겠습니다.

26.1 고장이 났을 때 대처하는 법

먼저 트럭이 고장 났을 때 어떻게 대처해야 할지를 3 단계로 나누어 살펴보면 다음과 같습니다. 첫째 트럭이 고장났을 때 초기대응으로 안전을 확보하는 단계, 둘째는 Road Service 를 받기 위해 회사에 전화해서 상황을 보고하는 단계이고, 셋째는 매캐닉 혹은 토우 트럭이 와서 마무리하는 단계입니다.

첫번째 안전을 확보하는 단계를 보다 구체적으로 보면, 일단 비상등을 켜고, 우선 가능하다면 움직일 수 있다면 갓길로 차를 움직이는 것이 최선입니다. 2차 사고를 예방하기위해서죠!! 만약 트럭이 도로 위에서 고장나서 움직일 수 없다면 가능한 빨리 안전하게 내려서 비상 삼각대를 세우고, 여의치 않으면 갓길에 서서 수신호를 보내는 것이 좋겠습니다. 도로 위에서 고장이 나면 트럭에 남아 있는 것은 좋지 않습니다. 왜냐하면 2차사고의 위험이 높기 때문이죠!!

첫번째 단계 초기대응에서 가장 중요한 것은 운전자와 트럭의 안전을 확보하는 일입니다. 여러가지로 구체적인 상황이 다르겠지만 우선 운전자의 안전을 확보하고, 트럭의 안전을 확보해야 합니다. 여기서 트럭커가 할 수 있는 가장 중요한 액션은 첫째 비상등을 켜고, 둘째 비상 삼각대를 설치하고, 셋째 차에서 내려 안전지역에서 수신호를 하던지, 다른 차량들의 흐름을 지켜보는 일입니다.

일단 기본 초기대응을 해서 안전을 확보했다면 이제 두번째 단계로 Road Service를 받기 위해 회사에 전화를 해야합니다. 보통 Road Service 전화번호는 트럭에도 적혀있는 경우가 많습니다. 모르면 디스패처에게 전화해서 확인하면 되겠죠!! 회사의 Road Service에 전화하면 회사담당자는 기본적인 몇 가지 사항들을 트럭커에게 묻는데요!! 예를 들어, 트럭커 이름, Employee number, 트랙터 넘버, 트레일러 넘버, 무엇이 문제인 것 같은지, 위치가 어디인지, 트럭커 전화번호 등등입니다. 무엇이 문제인 것 같은지! 이 내용도 중요한데요!! 예를 들어, 대시보드 계기판에 어떤 사인등이 떠있는지 알려줄 경우도 있고, 트럭커가 아는 범위내에서 고장의 원인과 상태를 회사에 알리는 것이 중요합니다. 왜냐하면 회사는 그 정보를 토대로 매캐닉 트럭을 먼저 보낼지 아니면 아예 토우 트럭을 보낼지 결정하는데 도움이 되기 때문이죠!! 그리고 매캐닉 트럭을 보낼 때도 어떤 부분에 문제가 있는지 알면 미리 더 많은 것을 준비해서 올 수도 있겠죠!!

예를 들어 JB Hunt에서 일할 때 한번은 운전하고 가는데 Coolant(부동액)이 줄줄 새서 운전을 할 수 없었죠!! 제가 후드를 열어보니, 엔진과 부동액의 연결부분이 파손되어 완전히 빠져서 Coolant이 다 새버렸드라고요!! 그래서 이 상황을 회사에 설명했고, 회사에서는 메카닉 트럭을 보낼 때 이런 문제가 있으면 부동액을 많이 가져가라고 할 수 있겠죠!! 그럼 매캐닉 트럭이 와서 빨리 고치면 트럭커는 다시 달릴 수 있으니, 다시 말해 돈을 벌 수 있으니, 회사에게도 트럭커에게는 이익이 되는 것이죠!!

그리고 또 중요한 사항을 자신의 위치를 회사에 알리는 방법인데요!! 당연히 제가 있는 위치를 알려야 그곳으로 매캐닉 트럭이던 토우 트럭이던 보내겠죠!! 가장 중요한 포인트를 영어로 알아보면 아래와 같습니다.

보통 회사에서 지금 어디니? Where are you? Where are you located now? 이렇게 물으면 정확하게 대답을 해야겠죠!! 이 대답에 중요한 key word는 남쪽방향인지, 북쪽방향인지, 그리고

MM(Mile Marker)라는 개념인데요!! 보통 고속도로에서 몇 백미터(?) 전후로 Mile Marker가 있는데 그것을 알려주면 정확한 위치를 찾는데 도움이 되겠죠!! 그리고 Mile Marker가 보이지 않으면 네비게이션에 나오는 현위치에서 도시이름 등을 알려줘도 됩니다.

그럼 트럭커가 I 95 고속도로에서 남쪽방향을 달리다가 고장이 나서, 갓길에 정차 했는데 눈에 보이는 Mile Marker가 77 이라고 가정하고, 이것을 영어로 표현하면 다음과 같습니다.

"I am on I 95 southbound near Mile Marker 77."

"I am located near MM 77 on I 95 southbound."

트럭커가 위에 살펴본 기본적인 정보를 회사에 주게 되면 보통 회사에서는 신고를 접수했다는 reference#를 줍니다. 그리고 매캐닉 트럭이 언제 도착할지 ETA(Estimated time of arrival: 도착예정시간)줍니다. 때론 매캐닉 전화번호를 줄 때도 있습니다. 회사가 좋을 수록 ETA가 짧다고 볼 수 있습니다. 빨리 고치고 일을 하는 것이 트럭커나 회사입장에 좋기 때문에 좋은 회사는 문제가 빨리 처리되도록 압력(?)을 행사하는 거죠!! 그리고 보통 매캐닉이니 토우 트럭에서 전화가 와서 위치를 다시 한번 확인하고 ETA를 말해줍니다.

3단계는 마지막 단계로 매캐닉 트럭 혹은 토우 트럭이 왔을 때 일인데요!! 특별한 것은 없고, 안전한 곳에서 담당자와 만나고 옆에서 지켜보면 됩니다. 보통 모든 일이 끝나면 사인을 하게 됩니다. 어떤 때는 할 필요가 없는 경우도 있습니다. 사인 후 보통 트럭커는 회사 Road Service에 전화해서 reference#를 말한 후 모든 것이 상황종료(수리되었거나, 토우되었다고)되었다고 말하면 됩니다. 그런데 만약 트럭이 토우되어야 한다면 어디로 가야하는지는 회사가 결정합니다. 회사입장에서 유리한 곳으로 토우하게 됩니다. 그냥 따라 가면 됩니다.

간단히 정리하면 일단 고장이 나면 우선 비상등을 켜고, 트럭커와 트럭의 안전을 확보하고 2차 사고를 예방합니다. 그리고 회사 road service에 전화해서 고장신고를 합니다. 그리고 트럭을 수리하거나 토우되어 상황이 종료되면 회사에 전화해서 상황종료를 알리면 되겠습니다. 고장이 나면 좀 짜증이 날 수 있습니다. 이왕에 엎질러 진 물이니 매캐닉 혹은 토우 트럭이 올 때까지 쉰다 생각하고 여유를 가지고 기다리면 되겠습니다.

26.2 사고가 났을 때

기본적인 대응방법은 고장이 났을 때와 같다고 할 수 있습니다. 먼저 2차사고를 예방하기 위해 트럭커(다른 트럭커 포함)와 트럭의 안전을 확보하고, 회사와 경찰에 신고하고 마무리하면 되겠습니다.

사고 났을 때 가장 중요한 것은 인명피해가 있는지 확인하고, 안전을 확보한 다음 사고차량들이 동시에(혹은 다른 물체와 함께)나올 수 있도록 여러 각도에서 동영상을 촬영하는 것이 좋겠습니다. 왜냐하면 동명상을 촬영해두면 나중에 시비를 가려야 할 때 누가 잘못했는지 판단하는데 도움이 되기 때문입니다. 또한 주변의 다른 차량도 촬영이 가능하면 하면 좋고요!! 조금 애매할 경우 주변 차량에 증인이 되어 줄 수 있는지 물어 볼 수 도 있습니다. 그래서 일단 경찰이 도착하면 경찰의 지시에 따르면 되겠습니다.

Rest area#6 미국 고속도로 이해하기 : Interstate 의 숫자의 비밀

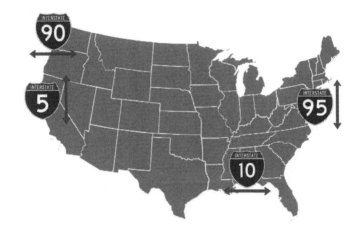

    미국 고속도로를 표현하는 방식에는 세가지 Highway, Freeway, Interstate 가 있습니다. 그럼 이것들은 어떻게 다를까요? 문자 자체가 기본적인 정보를 주고 있는데요!! Highway 는 일반 도로보다 속도가 빠른 도로라는 의미입니다. Freeway 는 방점이 free 인데요!! 무엇으로 부터 free 냐 하면, 교통신호등, 건널목 등이 없는 고속도로를 의미합니다. 그래서 모든 freeway 는 고속도로이지만, 모든 고속도로가 freeway 는 아닌게 되는 것이죠!!

    "All freeways are highways, but not all highways are freeways."

그럼 Interstate는 뭘까요? 가장 큰 특징은 한 주(State) 이상을 넘어 다른 주까지 뻗어 넘어 간다(Inter)는 것입니다. 그래서 Highway와 Freeway는 기본적으로 State level에서 관리하는 것이고, Interstate는 연방차원에서 관리하게 되는 것이죠!! 개인적으로 이 세개를 간단하게 Highway < Freeway < Interstate 라고 서열화하면 보다 이해가 쉬울 것 같습니다. 그럼 이제 보다 구체적으로 Interstate의 숫자의 비밀을 알아보겠습니다.

Interstate의 숫자를 이해하는데 가장 중요한 Keyword는 홀수와 짝수입니다. 다시 말해서 위의 사진과 같이 I 5번과 I 95번 Interstate 숫자가 홀수이면 기본적으로 남과 북을 연결하는 고속도로를 의미합니다. 그리고 동시에 서쪽에서 동쪽으로 갈수록 그 숫자가 커진다는 사실입니다. 반대로 짝수이면 I 10번과 I 90번 처럼 동과 서를 연결하는 고속도로라는 것입니다. 그리고 여기서는 남쪽에서 북쪽으로 갈수록 숫자가 커진다는 것이죠!! 이 두 개념이 미국 Interstate 고속도로를 이해하는데 전부입니다. 그래서 Interstate 숫자를 보면 이 고속도로가 남북으로 가는지, 동서를 연결하는지, 남쪽에 가까운지, 북쪽에 가까운지, 동쪽에 가까운지, 서쪽에 가까운지 알 수있다는 뜻이죠!!

그리고 여기에 하나의 개념을 더하면 보다 이해력이 상승합니다. 그것은 몇 자리 숫자인가? 하는 것입니다. 미국 Interstate 의 숫자중 한자리와 두자리 숫자는 주요 Interstate가 되고, 세자리 숫자는 보조적인 Interstate 라고 이해하면 됩니다. 예를 들어, 뉴저지를 관통하는 I 95 Interstate 도로가 있는데, I 295 도 있습니다. 따라서 세자리 숫자인 I 295 는 I 95 와 연결되어 있는 보조적인 고속도로가 된다는 것입니다. 이 정도만도 알아도 미국고속도로 특별히 Interstate 고속도로를 잘 이해할 수 있을 것입니다.

그럼 마지막으로로 간단한 테스트를 해 볼까요? 예를 들어 여러분이 I 25 Interstate 를 보았다면 어떤 정보를 알 수 있을까요? 위의 개념들을 보고 생각해 보세요!! 첫째 홀수이기 때문에 남과 북을 연결하는 고속도로로라는 것이고, 둘째는 숫자가 크지 않기 때문에 서쪽에 더 가까운 고속도로이고, 셋째는 두자리 숫자임으로 주요 Interstate 고속도로라는 것입니다. 보다 상세한 내용은 제 영상 미국 트럭커의 모든 것#123 를 참고하시면 좋겠습니다.

나오며

모든 직업에는 일장일단이 있겠죠!! 미국트럭커도 예외는 아닐 것입니다. 대략적으로 말해 장점은 고졸학력수준 대비 수입이 괜찮은 것 같고, 취업전선이 비교적 안정적이다라는 것입니다. 단점은 안전사고의 위험과 장시간 노동, 그리고 언어장벽 즉 영여문제라고 말할 수 있겠습니다.

영어는 미국에 살아가는 이민자의 평생숙제입니다. 문제는 영어를 잘하면 좋은데 영어를 잘하는 사람은 트럭커를 할 확률이 적고, 영어를 잘 못하지만 트럭커를 할려면 미니엄 영어를 해야 하는데 그 수준이 어느 정도인지 가늠 하기가 쉽지 않다는 것입니다. 저의 결론은 자신감을 가지고 부딪쳐 보자는 것입니다. 다시 말해 영어에 주눅이 들어서 미국 메이져 캄파니(Mayor company) 트럭커가 되는 것을 스스로 포기하지 말고 일단 자신있게 도전해 보자는 것입니다. 안되면 할 수 없죠!! 그 때 다른 길을 찾아도 늦지 않다는 말입니다.

마지막 잔소리를 하면 **안전제일**입니다. **Safety First**!! 자신의 루틴을 잘 만들고, 조금 여유를 가지고 안전운행하시길 바랍니다. 마음이 급하면 트럭이 빨리 달립니다. 마음이 급하면 눈에 뵈는 것이 없어집니다. 마음이 급하면 안전사고가 다가옵니다.

이 책은 미국 트럭커를 시작하시려는 분과 초보 미국

트럭커를 위해 쓰여졌는데 아무쪼록 그들에게 좋은 길잡이로 자리매김 하길 희망합니다. 그래서 미국 트럭커로 일하다 은퇴하는 그날까지 건강한 모습으로 안전운전했으면 좋겠습니다. 그리고 새롭게 미국 트럭커에 관심을 가지고 도전하는 당신을 응원합니다. 꾸벅

"안전운전하시고, 멋진 하루가 되시길 바랍니다!!"

"Be safe, have a wonderful day, sir!!"